ro
ro
ro

Max Annas

DIE MAUER

Thriller

Rowohlt Taschenbuch
Verlag

4. Auflage Februar 2017

Originalausgabe
Veröffentlicht im Rowohlt Taschenbuch Verlag,
Reinbek bei Hamburg, Juni 2016

Umschlaggestaltung any.way, Barbara Hanke / Cordula Schmidt
Umschlagabbildungen PanosPictures / Visum; Cordula Schmidt
Satz Dolly, InDesign,
bei Dörlemann Satz, Lemförde
Druck und Bindung CPI books GmbH, Leck, Germany
ISBN 978 3 499 27163 2

**In Gedanken bei Jimi Hendrix,
Arthur Lee und Phil Lynott.**

1

«Die Weißen sind seltsam ...»

«Wieso?»

«Na ja ...» Die Frau trug einen ausgewaschenen braunen Kittel mit großen gelben Blumen. Darunter war ein hellgrünes T-Shirt zu sehen. Unter dem Saum des Kittels ein dunkelgrüner Rock. An den Füßen Laufschuhe und kurze schwarze Socken. Sie machte kleine, schnelle Schritte. «Die können sich nicht anziehen», sagte sie. Über der Schulter hing eine große Handtasche aus Kunstleder.

«Keine Neuigkeit.» Der Mann schaute auf die Frau herab und unterdrückte ein Grinsen. Er war zwei Köpfe größer und trug einen anthrazitfarbenen Anzug. «Haben sie noch nie gekonnt. Im Kopf sind sie alle noch Farmer. Und das sieht man ihnen auch an.» Wegen seiner langen Beine sah er aus, als ginge er betont langsam.

«Farmer, ja, so sehen sie aus», sagte die Frau. Mit zwei schnellen Schritten verkürzte sie den Rückstand auf den Mann.

«Ist das heiß!» Der im Anzug holte ein Taschentuch aus der Hose und fuhr sich über Stirn und Wangen. Dann tupfte er die Handrücken ab und steckte das Taschentuch wieder weg. «Wie kommst du jetzt darauf?» Er zog den Kragen seines hellblauen Hemdes gerade und richtete die schwarze Krawatte. Der Aktenkoffer in seiner anderen Hand hatte Übergröße.

Der Frau fuhr sich mit dem Arm über das Gesicht. «Der Alte eben.»

«Wo wir den Wagen geparkt haben? Der an der Kreuzung?»

«Hmhm.» Die Frau schüttelte den Kopf. «Die weiten Shorts. Das Hemd drüber.» Sie machte ein paar längere Schritte, um nicht zurückzufallen. «Und was für ein Hemd. Die Socken in den Sandalen.» Die Frau schüttelte wieder den Kopf. «So würde ich nicht mal ins Bett gehen.»

«Du gehst ja auch immer nackt ins Bett.»

Die Frau guckte den Mann streng an. «Und hast du die Augen von dem gesehen?»

«Außer im Winter ...» Er grinste. «Und nein, nur kurz. Ich wollte den nicht anstarren. Das hätte ihn noch mehr provoziert.»

«Blödsinn. Der wird noch in ein paar Tagen herumerzählen, dass zwei Schwarze vor seinem beschissenen Haus geparkt haben. Das macht mich wütend. Richtig wütend. Ich meine, was soll ihm denn mitten am Tag passieren? In Suburbia.»

«Am heißesten Tag des Jahres.»

«Genau. Am scheißheißesten Tag des Jahres. Da stirbt der sowieso eher an einem Schlaganfall, als überfallen zu werden. Auch wenn zwei Schwarze vor seiner Tür parken. Hoffentlich finden wir gleich die Ecke wieder, wo der Wagen steht.»

«Ganz sicher, kein Problem. Das war nicht so weit vom Eingang entfernt. Da kommt jemand.»

Die Frau ließ sich einen Meter zurückfallen. Sie ging jetzt mit gesenktem Kopf. Anzug reckte seinen Kopf nach vorn und schaute die Frau an, die ihnen entgegenkam. Mitte 30, Corporate-Kleidung, eng anliegender schwarzer Anzug, weiße Bluse. Blondes Haar, glatt, bis auf die Schultern. Typ Maklerin.

«How are you?», fragte Anzug und nickte beiläufig.

«Hi», sagte die Maklerin, schaute Anzug kaum an und die Frau im Kittel gar nicht. «Heiß heute», sagte sie noch und ging weiter.

Die Frau im Kittel schwieg. Blick weiterhin gesenkt. Als die Maklerin schon einige Meter entfernt war, schloss sie wieder auf. «Wie weit wollen wir noch gehen?» Die Häuser hatten hier alle zwei Etagen, waren auf ähnlich großen, aber verschieden geschnittenen Grundstücken gebaut worden. Sie sahen sich zum Verwechseln ähnlich. Genau wie die einstöckigen Häuser, die am Anfang die Szene bestimmt hatten.

«Wir sind gleich am Ende, siehst du die Mauer dahinten?»

«Hmhm. Was meinst du, was der Alte von eben so hat?»

«Der Alte? Der uns so angeguckt hat. Phhh ... Weiß nicht ... Ein bisschen Schmuck, zwei oder drei Generationen

Eheringe aus Gold. Bargeld, vielleicht sogar viel davon. Vielleicht sammelt er etwas, Münzen oder so. Das könnte interessant sein, auch wenn es dann immer so schwer ist, die wieder loszuschlagen. Wenn er eine Waffe hat, dann keine, für die man viel Geld kriegt. Und keine Telefone, die uns interessieren, kein Laptop. Und sicher hat er einen CD-Player. Und den kann man wirklich nirgendwo mehr verkaufen.»

«Du kennst dich gut aus.»

«Ich mache das ja auch beruflich.»

«Stimmt.»

Die beiden waren an einer T-Kreuzung angekommen. Hinter den Grundstücken, auf die sie blickten, war eine hohe Mauer zu sehen. Dahinter das stete Rauschen eines Flusses. Hundebellen von dort. Eine männliche Stimme rief den Hund. Der Mann und die Frau blieben stehen.

«Was hast du?», fragte Anzug. Die Gated Community war ideal für ihre Bedürfnisse. Viele Häuser, die Grundstücke nicht zu groß. Um Privatheit zu schaffen, waren überall kleinere und größere Mauern errichtet worden. Als Blickschutz gegen Nachbarn und Leute, die vorübergingen und -fuhren. Nirgendwo aber durchgezogene Mauern, alle Grundstücke waren frei zugänglich. Und auf jedem gab es Möglichkeiten, sich für kurze Zeit zu verbergen. Wenn man wusste, wo die Kameras waren.

«Die beiden offenen Fenster», sagte die Frau. «Da ist niemand.»

«Warum?»

«Der Wagen, der uns am Anfang entgegengekommen ist, der kam daher.»

«Das Paar?»

«Hmhm. Aber das waren zwei Männer, glaube ich.»

«Wirklich? Aber das ist das Gute an der Hitze. Sie lassen die Fenster offen. Sahen die beiden so aus, als gäbe es dort etwas zu holen?»

«Kann sein. Bin mir nicht sicher.»

«Was noch?»

«Der Briefkasten mit den drei Umschlägen, die rausgucken.»

«Ja, klar.»

«Und dann noch der kleine Hund. Das Fenster war zu, und die Fensterscheibe war total verschmiert. Der wartet auf seine alte Lady. Alte weiße Lady.»

«Den Hund allein zu Hause gelassen, oder?»

«Ja. Und du?»

«Die Lichtschaltanlage?»

Die Frau schüttelte den Kopf. Hatte sie nicht bemerkt.

«Das Haus mit dem Laub vor der Tür?», fragte der Mann.

«Ach ja. Hmhm.»

«Da ist das Licht angegangen. Kaum wahrzunehmen. Hat jemand falsch eingestellt.»

«Aber wenn die eine Lichtschaltanlage haben, dann gibt's auch noch Alarm.»

«Ja, kann sein. Gut möglich. Was schlägst du vor?»

«Zuerst den Hund. Dann die Fenster. Dann sehen wir weiter.»

Anzug brummte kurz. «Apropos Hund», sagte er und zeigte vor sich. Ein magerer brauner Hund kreuzte die schmale Straße.

«Wo kommt der her?», fragte die Frau.

«Der kann von überall her sein. Ist ein bisschen wie im Township hier. Da laufen die Hunde ja auch frei herum.»

«Ja, aber hier ist es sicherer als im Township.»

«Bis jetzt», sagte der Mann. «Sicherer gewesen.»

2

«Anschieben?», fragte der Professor.

«Schon okay», sagte Moses. «Geht ja bergab. Da läuft der Wagen schon. Wir sehen uns morgen.» Als er die Bremsen löste, rollte der alte Toyota an. Der Prof mit seinem weißen Lockenkopf war noch im Rückspiegel zu sehen. Er winkte und drehte sich um. Moses drückte kurz auf die Hupe, letzter Gruß, und startete den Wagen. Der Motor stotterte zuerst, sprang dann aber an. Im Radio lief schlechter Kwaito. Die Musik setzte kurz aus, lief dann wieder. Irgendwas mit der Elektrik.

Diese riesigen Häuser irritierten Moses immer. Meistens wohnten nur wenige Leute darin. So wie Professor Brinsley und seine Frau. Zwei Etagen, endlos viele Zimmer, großer Pool, Rasen, Garten. Zum Glück hatte der Prof keine Hunde.

Eine gute Idee war das gewesen, Brinsley zu helfen. Sein Büro war bis unter die Decke voll mit Büchern gewesen, in Regalen und in staubigen Stapeln. Sein Vertrag an der Fort-Hare-Universität war ausgelaufen, nächste Woche würde er in die Staaten fliegen, um dort in Atlanta zu arbeiten. Und die Bücher mussten zu ihm nach Hause. Zwischenlagerung.

«Moses, kannst du das brauchen?», hatte er immer wieder

gefragt. Im Kofferraum des Toyota waren jetzt zwei schwere Kisten mit Büchern. Und Brinsley hatte sich tatsächlich von C.L.R. James' Buch über Kricket getrennt. Unglaublich. Sein einziges Exemplar.

Eine SMS kam. Moses zog das Telefon aus der Hosentasche.

«Bist du unterwegs?»

«Klar!», schrieb er zurück.

Kurz darauf die nächste SMS. «Was machen wir?»

«Sex!», schrieb er, während er auf Display und Straße zugleich schaute. Beim Schreiben geriet er kurz auf die falsche Fahrspur. Machte nichts. Die Straße war leer gegen Mittag.

Moses drehte das Fenster auf der Beifahrerseite herunter. «Woah, woah, woah», sagte der Moderator im Radio. «Das ist der heißeste Februar seit Jahren. Und heute ist der heißeste Tag im heißesten Februar seit Jahren. Ich klettere gleich in die Eistonne. Ruft an und sagt mir, was ihr heute im Eastern Cape gegen die Hitze tut.» Das Radio setzte erneut kurz aus. Als es wieder ansprang, lief RnB. Zur Mall. Sekt kaufen. Dann nach Hause. Aus den schmutzigen Klamotten raus, duschen, was Nettes anziehen zum Ausziehen. Und schließlich zu Sandi. 40 Minuten Maximum. Punkt eins bei ihr sein.

Das Telefon meldete sich wieder. Dieses Mal war es die Batterie. So gut wie leer. Egal.

Er nahm die Kurve nach Abbotsford, als der Motor kurz aussetzte. Komm, dachte Moses. Heute noch. Morgen bringe ich dich zur Werkstatt. Garantiert. Versprochen.

Abbotsford zu Ende, über den Nahoon hinüber. Gleich Dorchester Heights. Der Motor setzte wieder aus. Morgen, dachte Moses. «Morgen!», sagte er laut. Es ging weiter. «Come on!», rief er. Der Wagen setzte wieder aus. Es ging leicht bergab, immerhin rollte er noch. Aber er kam nicht zurück. Moses trat das Gaspedal wieder und wieder.

Die Straße wurde eben, das Tempo nahm ab. Er ließ den Wagen ausrollen und stellte zwei Räder auf das Grün am Straßenrand. Drehte den Schlüssel und hörte ... gar nichts. Zog den Schlüssel, atmete durch. Steckte ihn wieder ins Zündschloss, drehte. Nichts.

Noch einmal. Schlüssel rausziehen, an irgendetwas anderes denken, aber an was, an Sex mit Sandi, dann wieder rein mit dem Schlüssel und drehen. Nichts. Keine Reaktion. Kein Geräusch. Gar nichts.

Die Uhr. Von den 40 Minuten waren zwölf schon vorbei. Moses stieg aus. Fast kein Schatten am Boden. Die Sonne stand am höchsten Punkt. Das Telefon erinnerte ihn wieder an die Batterie. Wen rief er jetzt an?

Khanyo. Der kannte sich aus mit Autos.

«Hm. Wer da?»

«Moses. Der Toyota macht's nicht mehr.»

«Und?»

«Und ich brauch dringend Hilfe.»

«Das Ding nimmt dir schon niemand weg. Wo bist du überhaupt? So panisch, wie du dich anhörst, seh ich dich in Duncan Village und ein paar messerschwingende Tsotsis um dich herum. Ha, ha, ha ...»

Moses lachte, weil Khanyo es erwartete. «Ha, ha, ha. Ich bin in ... am Anfang von Dorchester Heights. Von Abbotsford aus. Da ist so eine Kreuzung, da geht's links leicht bergauf.

Und ich steh an der Straße. Ich will einfach nicht zu lange hier stehen bleiben. Hör zu, wenn du mich erlöst, dann lad ich dich morgen zum Essen ein. Ich koche und verrate dir, was Brinsley über seinen Nachfolger erzählt hat. Okay?»

Keine Antwort.

«Khanyo?» Moses schaute auf das Telefon. Das Display war dunkel. Scheiße.

12 Uhr 39. Von den 40 Minuten waren 19 schon um. Sex mit Sandi konnte er vergessen. Was hatte Khanyo noch gehört? Dorchester Heights? Hatte er diese beiden Worte noch mitgekriegt? Und wenn ja – würde er dann kommen?

Moses stieg aus und schaute sich um. Suburbia. Gehobene Mittelklasse. Drei Meter Rasen zwischen Straße und Mauer, eingeschossige Häuser, zwei Garagentore, Scherben oder Strom auf der Mauer, um ungebetenen Besuch abzuhalten. Die Straße weiter runter öffnete sich ein Tor, ein Kleinwagen kam herausgefahren. In seine Richtung. 30 oder etwas älter war die Frau, schulterlange braune Haare. Hausfrau, dachte er. Auf dem Weg zum Kindergarten.

Was für ein Pech. Auto kaputt und Telefon leer. Und wie er aussah. Die eingerissene Hose, der Staub am ganzen Leib, das Öl am T-Shirt vom alten Bakkie des Prof. Moses öffnete den Kofferraum. Kramte zwischen Kisten und Plastiktüten. Wo waren die Klamotten, die er seiner Schwester hatte geben wollen? Für die Schule in der Ciskei. Hatte er die schon weggegeben?

Er schloss den Kofferraum wieder. Sah sich noch einmal um. Eine Erinnerung.

Die Ecke da vorn, die kannte er. Aber woher?

Die Straße, die bergauf führte. Die hohe Mauer. Die Sackgasse. Das kam ihm bekannt vor. Moses ging langsam bergauf und dachte nach.

Letztes Jahr. Ein paar Kommilitonen. Irgendetwas hatten sie vorbereitet. Und der junge Weiße hatte da gewohnt. Sie hatten sich dort getroffen. Wie hat er nur geheißen? Robbie?

Nein. Janie? Nein.

Aber irgendetwas Ähnliches. Moses ging auf das Tor in der Mauer zu. «The Pines» stand neben dem Eingang auf einem großen Metallschild. Neben den Buchstaben waren stilisierte Bäume zu sehen. Gerade bewegte sich das Metallgitter zur Seite. Die Schnauze eines Wagens erschien. Moses wartete. Ganz neu. Groß. Schwarz. Moses kannte sich nicht aus mit Automarken. Aber so einen sollte er haben. Die bleiben nicht liegen, dachte er.

Das Tor war auf. Der Wagen kam heraus. Dunkle Scheiben. Passierte ihn. Das Tor schloss sich langsam wieder. Moses lief ein paar Schritte und zwängte sich gerade noch durch den schmalen Spalt, bevor die Gated Community wieder verschlossen war.

3

«Die bleiben bestimmt keine Ewigkeit», sagte Anzug. «Wir hätten das hier zuerst machen sollen.» Er blickte auf einen einstöckigen Bau mit integrierter Garage. Haustür aus Holz, ein Fenster zur Rechten, gekippt, zwei zur linken Seite, eines davon auch auf Kipp.

«Das andere Haus lag aber besser, Thembinkosi. Und es

hat sich ja auch gelohnt. In anderer Reihenfolge hätte es uns zu lange aufgehalten.» Die Frau blickte sich um. «Zu viele Wege, zu viel Aufsehen, das sagst du doch immer. Willst du nun rein oder nicht?»

«Ja, will ich, Nozipho. Wir haben ja kaum angefangen zu arbeiten.» Er grinste sie an.

«Und Alarm gibt's hier sicher nicht, der würde bei den offenen Fenstern nicht funktionieren.»

«Wie viele Kameras hast du insgesamt hier drin gezählt?» Thembinkosi griff in die Tasche seiner Anzughose und hielt einen kleinen Bund mit Werkzeug in der Hand.

Nozipho holte einen Handspiegel hervor, hielt ihn sich vors Gesicht und drehte sich langsam herum. Schaute sich um. «Vier hab ich gesehen.»

«Ja, ich auch. Das passt. Viel mehr werden es auch nicht sein.»

Noch bevor Nozipho den Lippenstift aus der Handtasche gekramt hatte, hörte sie, dass sich die Haustür öffnete.

4

Das metallische Klacken des Tors hallte noch nach in Moses' Kopf, als er sich fragte, ob er hier tatsächlich richtig war. Die sahen schon alle gleich aus, diese Gated Commmunities. Gegeneinander versetzte Häuser, kurvig oder winklig angelegte Straßen, Mauern am fernen Horizont. Aber er glaubte, sich zu erinnern. Die sechs Straßen, die im gleichen Bogen von der Mauer am Eingang wegführten. Die Häuser, die nie ein direktes Gegenüber hatten. Leicht abfallendes Gelände. Rechts hinter der Außenmauer hügeliges Terrain, zum Teil deutlich höher gelegen. Links die Straße, die er eben gekommen war. Moses hatte ein gutes visuelles Gedächtnis. Doch, das war die Gated Community, in der er damals gewesen war. Aber wo wohnte der Kommilitone? Danie? Oder doch Janie? Und wie ging er am besten vor, um ihn zu finden?

Drei der Straßen starteten zu seiner rechten Seite, drei zu seiner linken. Alle verliefen in einem ähnlichen sanften Schwung in einer anhaltenden Linkskurve. Die Häuser, die vom Eingang aus zu sehen waren, hatten alle nur ein Stockwerk. Erst recht weit hinten waren die zweigeschossigen zu sehen. Und noch weiter hinten war der Fluss, wenn er sich richtig erinnerte. Der Nahoon River, hinter der abschließenden Mauer. So weit war er nicht gewesen damals. Oder? Aber wie weit?

Erinnern, sagte sich Moses. Er ging ein paar Meter nach links, schaute in eine der Straßen hinein. Dann in die andere Richtung. Entschied sich, ganz rechts zu beginnen. Systematisch vorgehen. Die Erinnerung würde kommen, wenn er das Haus sah.

Wie waren sie damals eigentlich hierhergekommen? Sicher nicht in seinem Auto. Er hatte damals noch keins gehabt. Den Toyota hatte er sich erst vor ein paar Monaten leisten können. Waren sie in Ross' Wagen gefahren? Und wer war überhaupt dabei gewesen? Und warum fragte er sich das überhaupt?

Klar, weil es half, das ganze Bild zu erinnern. Wenn er die Gruppe beisammenhatte, ihre Gesichter, das Auto, dann konnte er auch das Haus leichter erkennen, in dem sie damals gewesen waren. Und der Name musste ihm wieder einfallen. Japie? Die Buren haben komische Namen, dachte Moses.

Ein symbolisches Stück Mauer zur Straße hin, ein paar Meter Rasen und Garten, ein halber Würfel mit Fenstern drin, eingebaute Garage. Bäume, die schon ein wenig Sichtschutz boten, aber noch mitten im Wachstum waren. Ein alter Hyundai stand hier in der Einfahrt, zwei Reifen ohne Luft, damit war lange niemand unterwegs gewesen. Der Geruch von gebratenem Fleisch, von wo? Wäsche auf einem Reck im Vorgarten. Wer mochte zu dieser Zeit alles zu Hause sein? Die domestic worker, keine Frage. Wer war überhaupt zu dieser Zeit in diesen Mauern? Die Leute hier arbeiteten doch alle. Und war Japie zu Hause? Oder Janie? Wie hatte er ausgesehen? Moses blieb stehen und konzentrierte sich. Groß. Dünn. Arrogant. Schon Geheimratsecken. Dauerredner. Er hatte ihn spontan unsympathisch gefunden. Egal. Helfen würde er ihm sicher.

Hinter einem Fenster stand eine Frau im Kittel. Bügelnd. Sie stand mit dem Rücken zum Fenster und bewegte ihre schweren Arme langsam über das Brett. Sie griff nach einem Stück Stoff und fuhr sich damit über das Gesicht. Die Hitze. Und sie bügelte auch noch. Als sie mit dem Stoff fertig war, drehte sie sich um. Sah Moses. Erschrak, weil er da stand und ins Haus hineinsah. Er ging grußlos weiter. Fuhr sich mit der Hand über die schweißnasse Stirn. Er sah auf seine Uhr. Punkt eins. Der Plan war gewesen, jetzt genau Sandi zu küssen.

Er näherte sich einer T-Kreuzung, die erste Straße hatte er abgeklappert. Und war sich mittlerweile sicher, dass der

Kommilitone nicht in einem dieser einstöckigen Häuser wohnte. Rechts versetzt ging eine weitere Straße in exakt dem gleichen Bogen weiter. Immer noch einstöckig. Moses beschleunigte seinen Schritt. Wieder ein T, dieses Mal begann die nächste Straße, die geradeaus weiterführte, leicht nach links versetzt. Nun zwischen zweistöckigen Gebäuden hindurch. Die Grundfläche war auch hier nicht besonders groß, der erste Stock war über eine Doppelgarage hinübergebaut. Vor dem Haus auf der linken Seite standen Blumen. Kleines Beet, alle Farben, Moses hatte keine Ahnung, was das für Blumen waren. Aber dass sie trotz der brutalen Sonne so bunt leuchteten, musste eine Menge Arbeit bedeuten. Er schaute sich um. Wer machte hier eigentlich die Gartenarbeit? Gab es eine eigene Kolonne für die Gated Community? Oder heuerte jedes Haus einen eigenen Gärtner an? Er wusste nicht, wie diese Leute hier lebten.

Wenig später blieb Moses stehen. Drehte sich einmal um die eigene Achse. Das Haus war es. Er erinnerte sich an diesen Briefkasten. Der stand auf einem Holzpfahl neben der Haustür. Die Box war die Miniatur eines Hauses, zu einer Seite offen. Ein über zwei Wände hinausragendes Holzdach schützte die Öffnung der Box vor Regen. Moses ging einige Schritte auf das Haus zu. Zögerte. Schaute genau hin. Falsch. Das konnte es doch nicht sein. Im ersten Stock hing ein Kaizer-Chiefs-Trikot im Fenster. Die Buren gucken keinen Fußball. Nie im Leben.

Und Japie oder Janie oder Danie war ein ganz normaler Burenjunge. Das hätte er doch damals gemerkt, wenn an dem irgendetwas anders gewesen wäre. Moses schüttelte den

Kopf. Kaizer-Chiefs-Fan. Regelrecht subversiv. Das war nicht das Haus.

An der nächsten T-Kreuzung blieb er wieder stehen und blickte sich um. Er hatte den größten Teil des Weges bis zur Mauer am Fluss schon hinter sich, «The Pines» bald der Länge nach durchmessen. Machte einige Schritte in die nächste Straße hinein und dachte dann, dass ihm irgendetwas aufgefallen war, als er sich umgeblickt hatte. Er schaute die Straße zurück bis zur der Querstraße. Hob den Kopf.

Am Pfahl einer Laterne war eine kleine Kamera angebracht.

5

Meli atmete tief ein und wieder aus. Dann inhalierte er noch einmal die heiße Luft, bevor er den Rasenmäher einschaltete. Die paar Grashalme, die er jetzt zu kürzen hatte, würden ihm das Atmen schwermachen für den Rest des Tages. Aber er konnte sich nicht darüber beschweren. Gärtner war sein Beruf. Und er war ein guter Gärtner.

Die Abluft des alten Rasenmähers trieb eine Woolworths-Plastiktüte auf. Sie stieg schnell in die Höhe und blieb dann eine Sekunde lang in der flirrenden Luft stehen. Meli aktivierte die Bremse des Geräts, ohne es auszustellen, und versuchte, die leere Tüte einzufangen. Beim ersten Griff wich sie noch geschickt aus, aber dann sprang er noch einmal vom Boden ab und hatte sie in seiner Hand.

Am Ende der Straße sah er eine Gestalt, die in seine Richtung blickte. Abgerissen irgendwie, aber nicht total. Gute

Körperhaltung. Kopf oben. Ein Afro, wie ihn manche jungen Leute wieder trugen. Die Gestalt grüßte kurz. Meli grüßte zurück.

Anders als die beiden, die er eben gesehen hatte. Am anderen Ende der Straße. Er hatte sofort begriffen, dass die beiden nichts Gutes im Schilde führten. Einer im Anzug, eine im Kittel. Wie in einer dieser Komödien, die immer im Fernsehen liefen. Aber war es seine Verantwortung? Und vielleicht kapierten es die Leute hier ja nicht. Selber schuld.

Die Gestalt war wieder verschwunden.

«Was ist da, Meli?» Mrs. Viljoen. Diese Stimme. Schon die Frage war ein Befehl. Sie übertönte sogar den Motor.

«Nichts, Madam», sagte er ebenso laut und sehr deutlich.

«Dann kannst du auch weiterarbeiten.»

«Sofort, Madam!», sagte er. Dann holte er sein Telefon aus der Hosentasche und schaute darauf. Fünf nach eins. Noch knapp drei Stunden, bis die Arbeit vorüber war.

6

Thembinkosi schloss die Tür leise von innen.

«Alles in Ordnung mit dem Schloss?», fragte Nozipho.

«Klar. Auch wenn jemand kommt und aufschließt ... Da fällt niemandem was auf.»

Beide stellten sich ans Fenster und blickten hinaus. Bewährte Routine. Erst sicherstellen, dass sie nicht bemerkt worden waren. Dann das Haus durchsuchen. Die Zeit war meistens auf ihrer Seite.

Draußen fuhr ein Kleinwagen vorbei.

«Ich mag die Verkleidung nicht», sagte Nozipho.

«Aber sie hilft uns doch.»

«Meinst du wirklich, dass uns niemand durchschaut?»

«Garantiert nicht.»

«Ich mag den Kittel trotzdem nicht. Ich sehe aus wie eine Putzfrau.»

«Das war ja auch die Idee!»

«Hmhm ... Weißt du noch, als wir den Weißen gemietet haben?», fragte Nozipho. «Wir beide als seine Arbeiter?»

«Ja. Die Idee war gut. Aber der Weiße hat nicht gepasst.»

«Wie wir ihm neue Sachen gekauft haben.»

«Ja, er hat aber trotzdem ausgesehen wie ein Obdachloser.»

«Er war ein Obdachloser. Aber die Idee war gut.»

«Die Idee war groß.» Thembinkosi machte eine Pause. «Aber er hat sich ja nicht wie ein Weißer verhalten.»

«Warum eigentlich nicht?»

«Was weißt du über die Klassenfrage?»

«Komm. Fang jetzt nicht so an ...»

«Ich glaube, dass das unser Fehler war. Wir haben einen armen Weißen gemietet.»

«Aber ein reicher Weißer hätte das nie gemacht.»

«Genau. Das hätten wir analysieren sollen. Unser Fehler.»

«Sollen wir endlich anfangen?»

7

Waren da noch mehr Kameras? Moses schaute sich um. In dieser Straße nicht. Er ging ein paar Schritte zurück. Nichts.

Dann noch weiter. Bis zur letzten T-Kreuzung. Das war die Grenze zwischen den ein- und den zweistöckigen Häusern. Wieder nichts. War er vorher schon bemerkt worden? Am Eingang etwa? In der anderen Richtung sah er den Rücken eines Blaumanns. Da war jemand, der den Garten bearbeitete. Und das bei dieser Hitze. Der Mann war weit genug entfernt, um ihn nicht zu hören. Jetzt schaltete er den Motor eines Rasenmähers ein. Lärm. Die Abgase bliesen eine Plastiktüte zur Straße hin. Der Mann arretierte die Maschine bei laufendem Motor. Jagte der Tüte hinterher und fing sie auf, als sie in der stehenden Luft trudelte. Dabei fiel sein Blick auf Moses. Der Mann verharrte eine Sekunde mit der Tüte in der Hand. Moses grüßte. Der Mann hob die leere Hand, um den Gruß zu erwidern, und wandte sich wieder dem Garten zu. Und während er sich selbst umdrehte, sah Moses die nächste Kamera. Ein paar Meter entfernt nur. Sie war klein. Auch an einer Laterne angebracht. Und sie war genau auf ihn gerichtet. Die zweite schon.

Irgendwo startete ein Auto. Zweiter Gang jetzt, schneller, das Geräusch kam näher. Da war der Wagen auch schon, kam ihm entgegen. Moses zog die Schultern hoch und ging wieder tiefer in die Gated Community hinein, immer näher zur Mauer am Fluss. Mittelklassewagen, ältere weiße Frau am Steuer, passierte ihn. Weitergehen, weitersuchen. Hier war er jetzt an der letzten T-Kreuzung. Es ging parallel zur Mauer entlang wieder nach rechts und links ab. Die Häuser sahen aber auch wirklich alle gleich aus.

Systematisch oder dem Gefühl nach? Er sollte nach rechts gehen, um diese letzte hintere Ecke der Gated Community

überprüft zu haben. Aber das Gefühl sagte ihm, dass e
in die andere Richtung ging, wenn er das Haus finden wc
das er suchte.

An der Mauer entlang waren die Grundstücke nun breiter als vorher, hatten Grün und Garten vor dem Haus und entlang beider Seiten. Wer mochte die Bilder der Kameras betrachten? Und wie viele mochte es geben auf dem Gelände? Wenn er schon zwei gesehen hatte, mussten da mehr sein. Aus einem Haus an der Mauer hörte er Hammerschläge. Gegenüber stand ein Korb mit Wäsche vor der offenen Haustür. Drinnen Geräusche, irgendein Klappern.

Moses ging weiter.

Am Eingang war keine dieser Security-Hütten gewesen. Wo immer die Bilder der Kameras also aufliefen, wahrscheinlich war das nicht auf dem Gelände der Gated Community. Sah sich überhaupt jemand die Bilder an? Er hatte von Kameras gehört, die bloße Attrappen waren. Aber waren sie dafür nicht zu wenig offensichtlich? Viel zu klein? Attrappen sollten doch groß sein und sofort bemerkt werden.

Die nächste Kreuzung. Nach links ging es zurück zum Ausgang, geradeaus weiter dem Verlauf der Mauer nach. Der Nahoon war jetzt deutlich hörbar. Kein großer Fluss, vielleicht 20 Meter breit. Meistens nicht tief, und jetzt im heißesten Sommer schon mal gar nicht. Eine Stimme rief etwas. Hinter der Mauer. Vielleicht ein Angler.

Wow. Moses blieb stehen. Er hatte sich nicht getäuscht. Da war dieser Briefkasten mit der Hausminiatur schon wieder. Genau der gleiche. Wahrscheinlich gab es den in irgendeinem Baumarkt zu kaufen. Er hatte sich richtig erinnert.

jetzt das Haus, das er gesucht hatte. Ganz
ses Mal. Diese komischen Vorhänge mit
ran erinnerte er sich. «Aus Europa mitge-
er Kommilitone gesagt. Wahrscheinlich
ndein Land erwähnt. Moses ging auf die
sah sich kurz um und drückte die Klingel. Damit produzierte er einen hohen Schleifton, der nach hinten hin schwächer und jaulender wurde. Die Batterie war am Ende. Moses wartete ein paar Sekunden. Drückte die Klingel noch einmal. Erneut der schräge Ton. Das konnte vieles bedeuten. Die Buren waren generell träge. Die Batterie stand also schon seit Wochen auf der Einkaufsliste, wurde aber immer vergessen. Oder die Batterie war schon längst im Haus, aber da sowieso nie jemand klingelte, baute sie auch niemand ein. Alles möglich.

Eine Möglichkeit war aber auch, dachte Moses, dass schon lange niemand mehr hier im Haus gewesen war.

Konzentrier dich. Wenn hier keine Hilfe zu erwarten war, wo dann?

8

Lounge und Küche in einem langgezogenen L. Der große Raum hinter der Haustür nahm beinah die Hälfte der Grundfläche des Hauses ein. Dahinter zwei Schlafzimmer und ein Badezimmer. Mindestens. Vielleicht noch mehr. Irgendwo der Übergang zur Garage.

«Machst du das hier?», fragte Thembinkosi. «Ich nehme dann die kleinen Zimmer.» Nozipho nickte. Er blickte noch ein paar Sekunden auf die Einrichtung. Sitzgruppe mit Cordpolster und Kacheltisch. Ein verstaubtes Weinregal, fast leer, CD-Regal, riesengroßer Fernsehbildschirm. Auf einer Konsole ein junges Paar im Foto. Er Vollbart, sie lange Locken.

Beide irgendwie blond. «Sind die das eben gewesen?», fragte er.

Nozipho beugte sich vor. «Das waren zwei Männer eben. Hab ich doch gesagt. Und hatte der einen Bart eben? Puh. Schwer zu sagen. Irgendwie ...»

«Hmhm ... Irgendwie sehen sie alle gleich aus.»

«Die Weißen, hm?»

«Hmhm ...» Nozipho und Thembinkosi sahen sich kurz an. Grinsten. Nozipho gab Thembinkosi einen flüchtigen Kuss und verschwand in der Küche.

Keine Bücher, dachte Thembinkosi. Schlechtes Zeichen. Bücher bedeuteten Großzügigkeit, mehr herumliegendes Bargeld, dafür weniger Schmuck, aber manchmal ein oder zwei kleine Schätze. Er ahnte schon, was er in den Kleiderschränken finden würde. Wenig Geschmack vor allem.

Die erste Tür, die er öffnete, war die zum großen Schlafzimmer. Das Bett war notdürftig gemacht, eine rosafarbene Uhr auf dem Nachttisch der einen Seite, ein kleiner Rugbypokal auf der anderen. Das war nicht, was ihn jetzt interessierte. In der Unterwäsche von Madam konnte er gleich noch herumwühlen. Er schloss die Tür wieder und drückte die Klinke der gegenüberliegenden Tür. Das zweite Schlafzimmer. Nicht benutzt. Das interessierte ihn.

Als Thembinkosi über die Schwelle ging, sah er einen Fleck direkt am Türrahmen. Er bückte sich und schaute genau hin. Ganz sicher war er sich nicht, und diese Stelle im Flur war recht dunkel. Aber sein Eindruck war, dass es sich um getrocknetes Blut handelte.

9

Wieder raus? Was sonst. Moses ging den Weg zurück, den er gekommen war. Welche Optionen gab es noch? Hier in der Gated Community würde er kaum Hilfe finden. «Hallo, können Sie vielleicht ein Auto reparieren?»

Obwohl ... er konnte den Gärtner fragen. Der kannte vielleicht jemanden oder ließ ihn telefonieren, wenn er überhaupt Guthaben hatte. Gleich war er wieder an der Kreuzung, von der aus er den Gärtner eben gesehen hatte. Aber was, wenn der nachlassende Klingelton gar nichts zu bedeuten hatte? Vielleicht kümmerte sich nur niemand darum. Es war einfach allen egal. Hatte er überhaupt genau darauf geachtet, ob es weitere Zeichen dafür gab, dass das Haus gerade nicht bewohnt war? Er war nicht gründlich genug gewesen. Er hätte in den Briefkasten hineinschauen sollen. Waren die Blumen vor dem Haus vertrocknet? Waren da überhaupt Blumen gewesen? Was, wenn das alles nichts zu bedeuten hatte und Japie oder Janie gerade heimkam? Nicht weit entfernt war ein Motorgeräusch zu hören. Das konnte er doch sein. Auf der Parallelstraße. Einmal noch, sagte sich Moses. Einmal noch probieren, ob er dort nicht doch Hilfe kriegte. Der Gärtner war sowieso nicht mehr zu sehen. Er drehte sich wieder um. Ging zurück.

Schon 13 Uhr 16. Was mochte Sandi nur tun? Hoffentlich

machte sie sich wenigstens Sorgen um ihn. Der Sekt wäre jetzt zu Hälfte ausgetrunken. Und sie würden ... Er wollte gar nicht daran denken.

Die Straße parallel zur Mauer wieder. Nach links gehen. Da war das Haus. Gar keine Blumen. Der Rasen war trocken, aber es war auch so heiß. Seit Wochen. Moses fuhr sich über Stirn und Nacken, wischte den Schweiß an der Jeans ab. Das Auto von eben war nicht mehr zu hören. Fenster nicht ganz sauber. Er drückte die Nase an eines und schaute ins Haus hinein.

Die Küche, aufgeräumt. Nichts Auffälliges. Der Briefkasten war leer bis auf zwei Prospekte. Ein Baumarkt und eine Drogeriekette. Beide relativ neu. Irgendwer hatte die Post zuletzt eingesammelt.

Kein Janie. Kein Japie. Moses drehte sich um. Also doch wieder raus aus der Gated Community? Was stand dann an? An der Straße stehen. Warten. Taxis waren hier kaum unterwegs. Das konnte dauern. Aber es war eine Möglichkeit, um zu einer Werkstatt zu kommen. Vielleicht konnte der Taxifahrer selbst helfen. Geld war kein Problem. Er hatte ein paar Hunderter in der Hosentasche.

Oder warten, bis jemand anhielt, um zu helfen. Super Idee. Zwischen Abbotsford und Dorchester Heights, wo doch in beiden Suburbs fast nur Weiße lebten. Die würden gerade anhalten, um einem jungen Schwarzen zu helfen.

Also zu Fuß dann. Auch okay.

An der Ecke, um die er eben gekommen war, tauchte ein weißer Mann auf. Kräftig, aber nicht fett. Kurze Shorts, T-Shirt. Er sah aus wie ein Rugby-Referee. Besser, ihm nicht zu begegnen. Moses machte sich auf in die andere Richtung.

Besser, jetzt hier zu verschwinden. Sowieso musste er unbedingt Sandi anrufen. Hoffentlich öffnete sich das Tor automatisch von innen.

Von der anderen Seite kam auch jemand. Scheiße, eine Uniform. Und noch ein Weißer. Ein Weißer in Security-Uniform bedeutete immer Ärger. White-Trash-Verzweiflung. Er blickte sich um. Der Referee kam näher, eine Hand hatte er hinter seinem Rücken. Kurz durchfuhr es Moses, dass er laufen sollte. Vielleicht zuckte er auch ein wenig. Der Referee zuckte mit ein wenig Verzögerung zurück. Darauf hatte der nur gewartet. Laufen oder nicht? Fitter als die beiden war er sowieso. Aber wohin? Wohin laufen, um zu entkommen? Musste er wirklich entkommen?

Er konnte das Grinsen auf dem Gesicht des Referees schon sehen. Fokussieren. Die Uniform schwang einen Stock. Jetzt zeigte der Referee auch seine verborgene Hand. Wow! Was war das? Eine Pistole? Die würde der doch wohl nicht benutzen.

Beide hatten ihre Schritte verlangsamt. Der Referee grinste immer noch. Dünner Schnurrbart über der Oberlippe. Die Uniform guckte sehr, sehr grimmig. Stoppelkurzes Haar, ebenso kurzer Bart um Mund und Kinn herum. Moses erkannte, dass die Uniform keine war. Einfache schwarze Kleidung, Hemd und Shorts. Zwanzig Meter noch für beide, bis sie ihn erreicht hatten. Viel Zeit blieb Moses nicht mehr, um zu handeln. Fünfzehn Meter noch, zwölf, zehn. Wenige Schritte noch zwischen den beiden und ihm. Als beide synchron ihre Schritte noch einmal verlangsamten, wollte er schon losrennen, zögerte aber noch. Ebenso synchron blieben sie stehen. Etwa fünf Meter von ihm entfernt. Vielleicht weniger.

Warum war er überhaupt so starr, fragte sich Moses. Er hatte doch gar nichts getan.

«Hast du dich verlaufen?» Der Referee. Und was er locker schwingend in der Hand hielt, war keine Pistole. Aber was denn?

«Bist ja auch weit weg von zu Hause, mein Junge!» Der mit dem Stock.

«Was machen wir nur mit dir?» Der Referee.

«Wollen wir ihm eine Lektion erteilen?» Der andere schlug den Stock fest in die Innenseite der anderen Hand.

«Wou, wou ...», sagte Moses und hob die Hände vor die Brust als Zeichen der Friedfertigkeit. «Ich wollte nur einen Freund besuchen. Wo ist das Problem?»

«Hn, ein Freund.» Der Stock schlug jetzt rhythmisch in die eigene Hand. Tacktack, tacktack, tacktack.

«Sollte man gar nicht meinen, dass jemand wie du hier einen Freund hat.» Der Referee.

«Meinst du, wir haben den Richtigen?» Der Stock jetzt in beiden Händen.

Moses hatte das Gerät, das der Referee in der Hand hielt, schon einmal gesehen. Das war ein Taser. Funktionierte über Stromschläge. Oder so. Machte bewusstlos. Oder sogar tot. «Okay», sagte er. «Sie haben gewonnen. Was soll ich tun?» Die Hände hielt er immer noch sichtbar vor sich.

«Sieh an», sagte der Referee. «Der Junge weiß sich zu benehmen.»

«Ja, wenn er sieht, dass er keine Chance hat!» Der mit

dem Stock. «Du kniest dich erst einmal hin. Dann legst du die Hände schön auf deinen Kopf.»

«Okay», sagte Moses. «Geschieht sofort!» Er spannte sich kurz an. Stellte einen Fuß ein paar Zentimeter nach hinten. Holte Luft. Und rannte los. Auf die Mauer zu, an einem der Häuser vorbei und dann in die Richtung, aus der er gekommen war. «Ey!», hörte er hinter sich. Und auch, dass die beiden anderen begannen zu laufen.

Nur für einen ganz kleinen Moment dachte er, dass er gerade einen großen Fehler begangen hatte. Aber eigentlich war ihm keine andere Wahl geblieben. Scheißkerle. Moses rannte weiter.

10

Zuerst die Schubladen. Besteck in der ersten. Nozipho sah trotzdem genau hin. Die Leute versteckten ihre Sachen manchmal an den ungewöhnlichsten Stellen. Hob den Besteckkasten hoch. Nichts. Ihr fiel auf, dass die Gabeln nicht zu den Messern und die Löffel nicht zum Rest passten. Einzelstücke.

In den nächsten Schublade Plastik. Löffel für den Salat und die Suppe. Abgewetzt. Nozipho schaute sich um. Durch das Glas der Schranktüren sah sie Teller und Schüsseln.

Auch hier Altes und Buntes durcheinander. Die Leute waren ganz sicher nicht reich.

Reichtum war auch nicht ihr Kriterium. Zugang war es. Das offene Fenster, die Tür mit dem alten Schloss, die Attrappe anstelle der Alarmanlage. Der Job, den sie morgens für den Hausverkäufer machte, half dabei. E-Mails und Post sortieren. Manchmal wussten sie eine Woche im Voraus, wo es sich lohnte, mal vorbeizuschauen.

Die nächste Schublade war leer. Die vierte ebenso. Am anderen Ende der eingebauten Küche waren noch einmal vier untereinander. Sie begann am Boden. Leer. Dann Deckchen für den Tisch und Servietten. Alt und ausgewaschen. Sie würden hier nichts finden. Die dritte war eine Müllhalde für allerlei kleines Zeug. Zahnstocher, Reinigungsschwämme, Putzlappen im Stapel, zwei neue und zwei halb abgebrannte Kerzen.

Nozipho fuhr mit der Hand durch die Schublade. Halt, da war etwas. Ein paar Geldscheine. Aus Mosambik, wertlos. Ein Ring. Vielleicht Gold. Ein Kugelschreiber. Eine schwere Uhr. Sachen, die man hier ablegte, weil es keinen besseren Platz dafür gab.

So hatte es bei ihnen auch ausgesehen, als Thembi seinen Job verloren hatte. Zu viel zum Verhungern, zu wenig, um das Leben zu mögen. Und die beiden Mädchen waren damals noch zu Hause gewesen. Kurz vor dem Abitur die eine. Und die Universität war teuer.

Als Thembi ihr erzählt hatte, dass er als Jugendlicher zwei Jahre lang in Häuser eingestiegen war, hatte sie ihm zuerst nicht geglaubt. Der Alkohol. Und als er dann vorgeschlagen hatte, damit wieder anzufangen, hatte sie ihm gesagt: «Du spinnst!»

Aber am nächsten Morgen hatte sie nachgefragt. Ganz nüchtern wieder. Sie brauchten das Geld.

Nozipho machte die letzte Schublade auf.

Wow, dachte sie. So arm waren die Leute doch nicht.

11

Die letzte Nacht hing Happiness noch im Uniformhemd. Ihre Tochter, die irgendetwas Falsches gegessen hatte, ihre Mutter, die mit immer neuen Vorwürfen wegen der Lebensmittelvergiftung laut wurde, und der Kleine, der die ganze Unruhe mitkriegte und nicht aufhörte zu schreien. Und sie selbst war hektischer und hektischer geworden, weil die Stunden, die sie zum Schlafen brauchte, verrannen. Happiness war müde. Viel zu müde, um auf diese Monitore zu schauen. Passierte ja sowieso nichts. Und es war so heiß.

Theoretisch war ihre Aufgabe ganz einfach. Sechs Monitore für sechs Gated Communities. Sie saß in einem kleinen Kämmerchen hinter dem Büro, aus dem die Verwaltung und der Verkauf für alle sechs organisiert wurden. Es gab eine unterschiedliche Anzahl von Kameras in jeder dieser Einheiten, acht meistens, manchmal auch zehn oder zwölf. Und die Bilder wechselten im Rhythmus von zehn Sekunden. Passierte mal etwas, dann konnte sie sich eine Kamera aussuchen, einfache Tastenkombination auf dem Keyboard. Sie konnte auch vier Kameras gleichzeitig auf einem Monitor beobachten. Dann ging aber bei den anderen Bildschirmen in Sachen Aufmerksamkeit gar nichts mehr. So was machte sie nur, wenn wirklich irgendetwas nicht in Ordnung war. Letzte Woche hatte sie den Bildschirm von einem Computer gesplittet, als in einer Gated Community in Beacon Bay ein Auto mehrere Male die Straßen auf und ab gefahren war. Sie hatte nicht gesehen, wer in dem Auto gesessen hatte. Aber sie hatte gesehen, dass es ein Golf war. Neues Modell. Manche Tsotsis liebten den Golf. Nach einer Weile war der Wagen dann wieder zum Ausgang gefahren, das Tor hatte sich automatisch geöffnet, und die Episode war zu Ende gewesen. Happiness hatte Warren gerufen, den Sicherheitschef der Firma, die die Gated Communities verwaltete. Der hatte ein Bild vom Wagen ausgedruckt und war dann damit aus dem Raum verschwunden. Happiness wusste nicht, was er damit gemacht hatte. «Das hättest du mir früher sagen müssen, das mit dem Wagen», hatte Warren am nächsten Tag gesagt.

Der Tischventilator blies ihr ein wenig Wind ins Gesicht, aber Happiness konnte die Hitze in dem fensterlosen Raum nicht abschütteln. Und gerade waren ihr schon wieder die Augen zugefallen. Der Junge, der da in «The Pines» rumtigerte, der machte ihr Sorgen. Sie konnte ihn nicht einordnen. Er sah irgendwie abgerissen aus, und er schaute sich die Häuser an auf eine Art, die sie nicht verstand. Warren war gerade unterwegs, ihn konnte sie nicht fragen. Also hatte sie drei Optionen. Jemanden in «The Pines» zu alarmieren. Da gab es einen Verwalter, der auch im Winter in kurzer Hose rumlief. «Bei kleinen Problemen rufst du den an», hatte Warren gesagt. – «Was sind kleine Probleme?», hatte sie gefragt. – «Wenn jemand rumlungert. Wenn irgendetwas komisch ist.»

Bei größeren Problemen sollte sie Central Alert informieren. Das war die Firma, bei der sie angestellt war. In der Kammer saß sie nur, weil die Firma, bei der Warren der Sicherheitschef war, einen Vertrag mit Central Alert hatte. «Was sind größere Probleme?», hatte Happiness gefragt. – «Wenn du einen Tsotsi siehst», hatte Warren geantwortet.

«Oder wenn du jemanden siehst, der da nicht hingehört.» – Aber wer gehörte da nicht hin? Warrens Antwort auf diese Frage war eine andere als ihre, so viel wusste sie. Und der junge van Lange, der ihr Vorgesetzter bei Central Alert war, hatte ihr eingeschärft, nicht wegen jeder Kleinigkeit einen ihrer Leute zu alarmieren. «Wenn du denkst, dass der Verwalter das Problem lösen kann, dann ruf ihn an.»

Und dann gab es noch die echten Probleme. Dann musste sie die Polizei anrufen. Wenn ein richtiges Verbrechen geschah. Wenn sie zum Beispiel sah, wie irgendwo eingebrochen wurde. Bloß, dass es dann zwei andere Probleme gab. Wenn tatsächlich irgendwo eingebrochen wurde, dann hatte sie vorher irgendetwas übersehen. Und die Polizei kam meistens sowieso nicht.

Was sollte sie nur mit dem Jungen machen? Happiness war so müde. Und es war erst kurz nach eins. Noch fast fünf Stunden bis zum Ende ihrer Schicht.

12

Das zweite Schlafzimmer war nicht sehr groß. Ein Bett, das gerade für zwei reichte, mit dem Kopf an einer Wand. Gegenüber war ein Einbauschrank aus hellem Holz. Nachttisch zwischen Bett und Fenster, Tisch und zwei Stühle in einer Ecke an der Tür, in der Thembinkosi immer noch stand. Blauer Teppichboden. Billigware.

Nichts wies darauf hin, dass der Raum zuletzt benutzt worden war. Außer dem Schlüsselbund, der auf dem Bett lag.

«Hey», hörte er Noziphos Stimme. «Guck mal.»

Er schaute aus der Tür. Nozipho stand da mit einem Bündel Geld in den Händen. Sie hatte Mühe, die Scheine zwischen den Fingern festzuhalten. Ein paar waren schon auf den Boden gefallen. Thembinkosi gefiel, was er sah.

«Komisch ist es schon», sagte Nozipho, als sie den Aktenkoffer öffnete und die Scheine hineinlegte. «Wer lässt denn heute noch Geld herumliegen? Ich meine ... so viel.» Dann ging sie zurück in die Küche. «War in einer von den Schubladen», sagte sie noch.

Nozipho hatte recht. Wer arbeitet heute schon mit Bargeld? Wer bezahlte noch anders als mit der Karte? Außer ihnen, aber sie hatten dafür einen Grund: Sie klauten es. Thembinkosi wollte die Fragen jetzt gar nicht beantworten. «Lass uns schnell machen», sagte er und ging zurück in das kleine Schlafzimmer. Aus dem Fenster sah er, wie jemand joggte. Ziemlich schnell sogar. Ein junger Schwarzer.

Eigentlich war das kein Joggen gewesen, was er da gesehen hatte, dachte Thembinkosi. Der Junge war vor etwas davongelaufen.

Jetzt kam auch noch ein älterer Weißer gerannt. Okay. Nicht vor etwas. Vor ihm.

Stress, dachte Thembinkosi. Stress war nicht gut für ihre Arbeit.

Er drehte sich zum Raum und sah sich noch einmal um. Wenn das Geld so offen in einer Küchenschublade lag, dann musste er sich vielleicht gar nicht um die üblichen Verstecke sorgen. Und schon gar nicht um die unüblichen. Er wollte es trotzdem tun.

Als er auf den Wandschrank zuging, fiel ihm ein kleiner

Koffer auf, der unter das Bett geschoben worden war. Er zog ihn hervor und öffnete den Reißverschluss. Jeans, T-Shirt, ein rotes Kleid, keine Modelgröße, nichts allzu Modernes, dann noch Frauenunterwäsche, nicht sehr sexy, eine Kosmetiktasche. Besucherin. Nicht mehr jung. Mindestens 50, schätzte er. Eher noch älter.

Der Schrank war komplett leer. Eine dünne Staubschicht lag auf den Brettern und den Kleiderstangen. Er klopfte kurz die Innenwände ab. Nichts. Ging noch einmal durch den Raum. Fasste unter den Tisch, ohne so optimistisch zu sein, dort irgendetwas Verstecktes zu erwarten. Er dachte kurz an das kleine Gästezimmer in dem Haus in Gonubie, wo sie letztes Jahr gewesen waren. Lieblos abgestellte Kisten und ein paar abgewetzte Kissen obendrauf. Bewusst konstruierte Gedankenlosigkeit. Die Kissen hatten ihn irgendwie darauf gebracht. Er hatte sofort gerochen, dass da etwas zu holen war. Und hatte richtiggelegen. In einem alten Stofftier, einem Hippo, war der Familienschmuck versteckt gewesen. Nicht viel, aber Sachen von Wert. Darunter zwei Diamantringe. Hier lagen die Dinge anders. Er schloss die Tür von außen und stand wieder im Flur.

13

Moses lief an der Mauer entlang. Dahinter hörte er den Nahoon fließen. Immer noch irgendwelche Stimmen. Was gäbe er dafür, auf der anderen Seite der Mauer zu sein, dachte er. Hinter ihm auch Stimmen. Das konnten nur der Referee und der falsche Security-Typ sein.

Vor dem hatte Moses richtig Respekt. Er hatte genug weiße Absteiger gesehen, die ihren Frust an irgendwelchen Obdachlosen oder Ladendieben ausgelassen hatten. Kurz blieb er stehen und blickte sich um. Da waren sie schon. Er war schneller als die beiden. Das war sein Vorteil. Ihrer war, dass sie sich auskannten. Und zu zweit waren.

Obwohl ..., dachte er. Diesen Vorteil hatten sie gerade nicht ausgespielt. Sonst wären sie ihm nicht zusammen hinterhergelaufen. Moses nahm die Kurve zurück zur Straße, ein paar Meter noch parallel zur Mauer und dann zurück in die Richtung, aus der er eben gekommen war. Die Stimmen der beiden Weißen waren nur noch in der Ferne zu hören. Das Tor nach draußen, dachte er, sollte eine Lichtschranke haben, die es automatisch öffnete, wenn sich jemand von innen näherte. Raus also, nichts wie raus. Und dann erst einmal verdrücken. Sein Auto war ja abgeschlossen. Hauptsache, weg hier, nur in Sicherheit sein.

Er passierte die Straße, in der er die Kamera bemerkt hatte, als er den Wagen auf sich zufahren sah. Noch war er recht weit entfernt, aber er erkannte, dass es der Wagen einer Security-Company war. Blau und Silber. Moses drehte auf dem Absatz um und rannte in die Kamerastraße hinein. Der Gärtner stand mit dem Rücken zu ihm und mähte immer noch oder schon wieder den Rasen. Als er ihn passierte, wandte er sich um. Sie sahen sich für einen kurzen Moment in die Augen.

War da was? Wollte der Gärtner ihm irgendetwas sagen? Moses hatte keine Zeit. Er lief um die nächste Ecke, sah ein Haus mit heruntergelassenen Rollläden und lief darauf zu. Zwischen der Mauer zum Nachbargrundstück und dem Haus stand eine große Mülltonne. Er versteckte sich dahinter.

14

Thembinkosi stand im größeren Schlafzimmer und schaute sich um. Ihm fehlte eine Idee, eine Eingebung. Er zog eine Schublade im Schrank auf. Frauenunterwäsche. Fuhr mit dem Finger durch die kleinen Stapel. Langweilig, auch langweilig. Hm ... Wieder langweilig. Und, oh ... scharf. Schwarz und pink gestreift. Er stellte sich den Slip an Nozipho vor, und dann, wie er ihn ihr auszog. Er steckte das Ding ins Jackett. Er wusste sowieso nicht, ob seine Frau einen gebrauchten Slip tragen würde. Aber scharf war er schon.

In der nächsten Schublade lagen Speisekarten. Die oberste kam ihm bekannt vor. Eine Restaurantkette, die auch in East London eine Filiale hatte. Er hatte da mal gegessen. Dann ein paar, von denen er noch nie gehört hatte. Wieder eine, deren Logo ihm irgendwie bekannt vorkam. Warum nahm jemand Speisekarten aus Restaurants mit?

Das größere Schlafzimmer machte einen ganz anderen Eindruck als das kleine. Es war vollgestellt mit dem übergroßen Bett, zwei Nachttischen, einer Spiegelkommode mit Marmorplatte, dazu drei Stühlen aus einem Ensemble, dessen andere Elemente woanders zwischengelagert sein mussten. Die Bettdecke war türkis, auf dem blauen Teppich lag ein roter Läufer. Wie sollte man sich da zurechtfinden?

Thembinkosi hob die Matratze an und schob eine Hand

darunter. Hob sie noch ein Stück höher und blickte darunter. Nichts. Er öffnete die Kosmetikverpackungen in der Kommode. Zwei Hemden lagen originalverschweißt im Schrank. Darin schaute er auch nach. Dann verließ er das Schlafzimmer wieder und ging die Küche.

15

Die Mülltonne roch nach faulem Obst und Verwesung. Nicht nur deshalb dachte er an eine Zigarette. Eigentlich rauchte er nur noch abends, wenn er gleichzeitig ein Bier vor sich hatte. Aber Rauchen wäre jetzt genau richtig. Moses hielt sich die Nase zu und beobachtete die Straße. Der Referee kam allein um die Ecke. Sie hatten sich also doch getrennt. Langsame Schritte. Blickte sich um. Moses hatte zum ersten Mal Gelegenheit, ihn genauer zu betrachten. Er war eher Ende als Anfang 50. Das hellblaue Poloshirt trug er über einer Hose, wie sie Moses früher für den Sportunterricht benutzt hatte. Die haarigen Beine steckten in weißen Socken, die oben rot abgesetzt waren, und in gelb-blauen New-Balance-Schuhen.

Der Referee hob die Hand und winkte jemandem zu. Ein Wagen der Security-Firma kam angefahren und blieb neben ihm stehen. War es derselbe wie der, vor dem er eben davongerannt war? Der Uniformierte, der ausstieg, war groß und sehr breit. Sein kahler Kopf war glänzend poliert, und mit der Spiegelbrille sah er aus wie ein Frosch. Wie ein schwarzer Frosch. Die beiden Männer standen keine 30 Meter von ihm entfernt. Sie redeten beide, und der Referee gestikulierte zusätzlich. Moses verstand nur Bruchstücke.

«... so ein ... auf einmal ... jung und schnell ...» Der Referee.

«... bestimmt bald ... nicht weit ... Verstärkung ...» Der Frosch nickte.

Der Referee schüttelte energisch den Kopf und zeigte auf seinen Taser. Vielleicht sagte er gerade, dass er keine Waffe gesehen hatte. Oder dass er ihn fast fertiggemacht hätte.

Der Frosch hob die Schultern. Dass der Referee keine Waffe gesehen hatte, bedeutete nicht, dass Moses nicht bewaffnet war. Super. Gleich würde also die Armee hier anrücken.

Der Referee zeigte ziellos in die Gegend und ging weiter. Der Frosch zog ein Telefon aus der Hose und drückte eine Kurzwahl. Dabei setzte er sich auf die Motorhaube seines Autos. Dann fing er an, ins Telefon zu reden. Moses blickte sich um. Gab es dort irgendwo einen Weg, der ihn näher zum Ausgang brachte?

16

Ein Goldring, ein silberner Kugelschreiber, eine Uhr, die teuer aussah, aber wahrscheinlich eine chinesische Kopie war, ein Bündel mosambikanischer Banknoten.

«Das ist es?», fragte Thembinkosi. Dabei inspizierte er die Beute. Der Goldring war gar nicht aus Gold.

«Ich hab alles zwei Mal durchsucht», sagte Nozipho. «Aber immerhin haben wir ja das Geld.» Den Kugelschreiber steckte Thembinkosi ein. Die Uhr ließ er liegen. Das mosambikanische Geld kam auch ins Jackett.

«Woah!», sagte Nozipho.

«Was?»

«Sie haben uns entdeckt.»

«Unsinn.»

«Da steht Security.»

«Wo?»

«Komm!»

Nozipho zog Thembinkosi zum Fenster neben der Tür. Durch den Vorhang sahen sie einen massiven Mann auf der Motorhaube eines kleinen Central-Alert-Autos sitzen. Er telefonierte. Das Silber der silber-blauen Lackierung blendete sie fast im Schein der Sonne. Ein Logo, das auf der Tür zu sehen war, zeigte einen stilisierten Körper von der Seite. Er hielt an zwei ausgestreckten Armen eine Pistole, die beinah so groß war wie der ganze Leib. Thembinkosi unterdrückte ein Lachen.

«Was ist?», fragte Nozipho.

«Guck dir den Idioten an. Jeder Township-Boxer würde ihn fertigmachen. Sogar ein Fliegengewicht. Der kann sich doch kaum bewegen mit seinen Muskeln.»

«Soo schlecht sieht er nicht aus.» Nozipho blickte zu Thembinkosi hoch. «Aber was macht er hier?»

«Ich weiß es nicht.»

«Du meinst, er ist nicht wegen uns hier?»

«Er würde nicht da sitzen und vor unseren Augen telefonieren. Muss eine andere Sache sein. Eben ist ein Junge vor irgendwem davongelaufen. Um den geht es bestimmt. Drei Minuten, und der Typ ist weg. Dann verschwinden wir. Wird höchste Zeit.»

«Gehen wir noch woanders rein?»

«Auf gar keinen Fall! Mir gefällt die Stimmung hier nicht. Lass uns nach Hause fahren. Hoffentlich hat keiner von den Weißen unseren Wagen geklaut.» Er musste grinsen, als er das sagte.

Nozipho schüttelte den Kopf. Sie fand, dass Thembinkosis Heiterkeit der Situation nicht angemessen war.

17

Der Security-Typ war ein Idiot. Nahm nicht mal die Sonnenbrille ab. Bismarck nahm an, dass der andere auf sein Namensschild glotzte. Bismarck van Vuuren stand dadrauf. Und dann: The Pines, Caretaker. Von den Schwarzen wusste sowieso niemand, wer Bismarck gewesen war.

«Und?», fragte der Typ.

«Wir hatten ihn fast.»

«Einer nur?»

«Hmhm ... So ein ...», Bismarck suchte nach einem Wort. «Aber er ist jung. Zwanzig. Und ganz schön schnell. Und dass er weggelaufen ist, ist ja Beweis genug.»

Der mit der Sonnenbrille nickte. «Was machen wir?»

«Wir kriegen den.»

«Klar. Früher oder später. Ich rufe Verstärkung.»

«Nicht nötig. Sie warten am Eingang. So schneiden Sie ihm den Weg nach draußen ab.»

Kopfschütteln. «Vorschrift. Jemand auf der Flucht, und ich rufe Verstärkung.»

«Hm!»

«Wer ist denn der andere dahinten?» Sonnenbrille zeigte zur nächsten Ecke.

Bismarck schaute sich um. «Ach ... Das ist Willie. Freund von mir. Der hilft aus.» Er winkte Willie zu. Willie winkte zurück.

«Hat der auch so ein Ding?» Sonnenbrille zeigte auf den Taser.

«Nur einen Stock», sagte Bismarck. Aber er wusste es besser. Normalerweise hatte Willie auch noch ein Messer und eine kleine Pistole bei sich. «Irgendwie müssen wir uns ja gegen die wehren», sagte er immer. Das musste bei Central Alert aber niemand wissen, dass sein Freund hier Freizeit und Security miteinander verband. Sie würden den schwarzen Bastard sowieso kriegen, bevor die Verstärkung da war. «Wir machen mal weiter», sagte Bismarck.

«Sie wissen, wo Sie mich finden.» Der Uniformierte holte ein Taschentuch aus der Hose und fuhr sich gründlich über den kahlen Kopf. Dann bearbeitete er sein Telefon.

Bismarck gab Willie ein Zeichen. Du da rum, ich hierher. Sie würden sich schon wieder treffen.

Der junge Kerl war einfach verschwunden. Aber er konnte nicht hinaus. Dafür war die Verstärkung von Central Alert wenigstens gut. Und wenn Willie und er den Schwarzen tatsächlich kriegten, dann würde er noch einmal nachfragen, ob er seinen Freund nicht als Assistenten anstellen konnte. Hilfe brauchte er sowieso. Die Zeiten wurden schlechter.

«Bismarck!», kam ein Ruf von hinten. Ein Bakkie rollte langsam heran. Rob van der Merwe saß allein in der Kabine, seine Leute wie immer auf der Ladefläche.

«Rob!», gab Bismarck zurück. Der Wagen hielt neben ihm. «Wie lange braucht ihr?»

«Stunde, vielleicht zwei. Kommst du Samstag? Die Boks. In Neuseeland.»

«Klar», sagte Bismarck und sah dem Bakkie hinterher. Fünf Leute saßen darauf. Vier trugen einen Blaumann. Einer nicht. Das war gegen die Regeln. Er musste Rob noch einmal darauf hinweisen. Aber eigentlich musste er das ja wissen. Mit seiner Erfahrung.

Arbeiter mussten als Arbeiter erkennbar sein. Und Regeln galt es einzuhalten.

18

Der Referee kam näher, blickte zwischen Häuser und Mauern. Hinter ihm rollte langsam ein Bakkie an. Moses sah sich um. Er hatte jede Orientierung verloren. Die Außenmauer, die ihm dabei hätte helfen können, war nicht zu sehen. Jetzt stand der Referee vor dem Grundstück, auf dem er sich versteckte. Eine schwarze Katze kam angeschlichen und blieb vor ihm stehen.

Betrachtete ihn ohne große Aufregung. Er war weder Futter noch Bedrohung.

«Geh weiter!», sagte er leise. «Jag Mäuse!» Alle Menschen sahen Tieren hinterher. Die Aufmerksamkeit, die ihm die Katze brachte, konnte er nicht brauchen. Das Tier rümpfte die Nase, und Moses wusste nicht, ob die Katze ihn meinte oder den Abfall in der Tonne, hinter der er sich versteckte. Dann schlich sie weiter.

Der Referee redete mit dem Fahrer des Bakkie.

Moses kroch durch den Gang und kam hinter dem Haus heraus. Terrasse, ein paar gestutzte Büsche als Trennung zum Nachbargrundstück, Tomatenstauden an der Hauswand. Alle Fenster, die er sehen konnte, waren geschlossen, keine Bewegung hinter den Gardinen. Er erhob sich. Was er jetzt brauchte, war ein Plan. Zurück zur Außenmauer und dann darüberklettern. Das war ein Plan.

19

«Solange der da ist ...», sagte Nozipho. Ihre Stimme war gedimmt. Fern. «Ist das heiß hier!», hörte er noch.

Thembinkosi wusste nicht, wo sich seine Frau gerade aufhielt. «Klar!», sagte er. «Wir warten einfach.» Draußen saß der Uniformierte noch auf der Motorhaube seines Polo. Er nickte ins Telefon oder für sich und schwieg dann oder hörte zu oder beides. Thembinkosi wünschte sich, noch mehr von der Straße zu sehen, einen besseren Überblick zu haben. Irgendwo im Haus fiel eine Tür schwer zu. Stimmt, sie hatten die Garage noch nicht durchsucht.

Der Junge, den er eben hatte rennen sehen. Ging es um ihn? Er hatte nicht viel von ihm gesehen. Um die 20 vielleicht. Fit. Was konnte der hier verbrochen haben? Was konnte er angerichtet haben, das eine Jagd rechtfertigte? Rief der Uniformierte gerade Verstärkung?

Irgendwie mussten sie hier noch rauskommen. Vielleicht sollte sich Nozipho umziehen. Frauenklamotten waren genug im Haus. Wenn sie entsprechend schick angezogen war, dann würde niemand sie aufhalten. Jedenfalls kein schwarzer Security-Typ. Traut der sich nicht, dachte Thembinkosi.

20

Wie bewegt man sich, wenn man nicht auffallen will? Und wo waren die nächsten Kameras?

Moses war wieder auf einer der Straßen mitten in «The Pines». Sie war leicht gekrümmt. Er konnte recht weit in beide Richtungen blicken. Gut, wenn er selbst sehen wollte, was geschah. Und schlecht, wenn er vermeiden wollte, gesehen zu werden, dachte er.

Die Außenmauer war hinter der übernächsten Reihe von Häusern. Er wog seine Chancen ab. Von der Straße aus war die Mauer nur schlecht zu sehen, da sie immer auch Ende irgendeines privaten Grundstücks war. Positiv, weil er klettern konnte, ohne vom Referee oder von seinem Handlanger oder dem Security-Typen gesehen zu werden. Auf der anderen Seite aber negativ, weil irgendwer, der krank zu Hause im Bett lag und die Büroarbeit schwänzte, ihn dabei beobachten würde. Irgendwer mit einem Telefon. Irgendwer mit einer Waffe.

Moses erreichte die nächste T-Kreuzung. Blickte sich um, dann nach links und nach rechts. Verschwand zwischen einem zweistöckigen Haus und einem hüfthohen Mäuerchen. Der rasche Check der Fenster, kurz auf bedrohliche Geräusche hören. Nichts.

Dann stand er vor der Mauer.

Der Fluss war von hier nicht mehr zu hören, dahinter ging

es bergauf. Moses stellte sich auf die Zehenspitzen. Mit ausgestrecktem Arm konnte er gerade das obere Ende erreichen, keine Vorsprünge oder Löcher, die das Klettern erleichterten. Aber das größte Hindernis waren die Drähte, die über der Außenmauer verliefen. Moses zählte sie. Vier Stück. Er hatte keine Ahnung, ob man einen leichten Schmerz spürte, wenn man daranfasste, oder ob man gebraten würde wie ein Huhn im Ofen. Und er wollte es gewiss nicht ausprobieren. Er wollte nur raus. Irgendwo hinter ihm ein Motorengeräusch. Er blickte sich um. Aber er war ja von dort nicht mehr zu sehen.

Ihm fiel eine Fernsehsendung ein, die er mal gesehen hatte. Nicht auf SABC, eher online, vielleicht auf YouTube. Irgendein Wissenschaftsbeitrag, wo jemand Alufolie über einen Elektro-Zaun geworfen und so den Kreislauf unterbrochen hatte. Irgendwas aus den USA. Danach war es ganz einfach gewesen, den Zaun zu überwinden. Einbrechen für Anfänger. War das realistisch?, fragte er sich. Und wenn ja: Wo zum Teufel kriege ich jetzt Alufolie her?

21

Thembinkosi öffnete den Aktenkoffer, legte Ring und Kugelschreiber zu dem Bargeld und dem Schmuck aus dem letzten Haus mit dem kleinen Hund. Dann verschloss er ihn, hob ihn an. Das Klackern störte ihn. Er ging noch einmal ins größere der beiden Schlafzimmer und öffnete den Kleiderschrank. Hemden, die man als Farmer tragen konnte. Cargohosen mit aufgesetzten Taschen. Er schüttelte den Kopf. Nozipho hatte so recht. Er nahm drei der Hemden vom Bügel. Öffnete den

Aktenkoffer wieder und legte die Hemden hinein. Schloss ihn wieder. Hob ihn an. Kein Klackern mehr. Ging zurück nach vorn.

Vorsichtig näherte er sich dem Fenster. Der Uniformierte stand gerade von der Motorhaube auf und winkte jemandem in der Ferne. Kurz darauf hielt ein zweiter Polo neben dem ersten. Zwei Männer und eine Frau saßen darin. Der Fahrer ließ das Fenster herunter und redete mit dem Kollegen, der schon eine Weile dort stand. Dann stiegen die drei gerade Angekommenen aus. Der Fahrer war Mitte 40 und bewegte sich so, als hätte er schon ein paar Probleme gelöst. Der andere Mann und die Frau waren jung. Neulinge. Blickten sich um. Gekommen, um zu lernen.

Neulinge waren immer schlecht. Pflichterfüllung, wenig Erfahrung, kein Durchblick. Eine unangenehme Mischung, die schnell zu Übereifer führte.

«Thembi!», rief Nozipho. Sie war viel zu laut. Er hielt die vier auf der Straße im Blick, aber niemand von ihnen schien etwas gehört zu haben. «Thembi» sagte Nozipho nur, wenn sie sexuell erregt war – oder in Gefahr. «Thembi!», rief sie wieder.

«Ssssssss!», sagte er viel leiser. «Ich komme ja.»

«Thembi, komm!» Die Tür schlug wieder zu, die mit dem dumpfen Klang. Nozipho stand vor ihm. Ihr Mund stand offen.

«Was ist?»

Nozipho versuchte zu reden. Schaffte es nicht. Die Augen ... So hatte Thembinkosi ihre Augen noch nie gesehen. Was war das? Panik? Nein ... Entsetzen.

«Was ist?», fragte er wieder.

Nozipho öffnete und schloss den Mund, brachte aber immer noch keinen Ton hervor. Sie streckte ihre Hand nach vorn. Die zitterte. Thembinkosi nahm die Hand und ließ sich führen. Sie gingen gemeinsam durch den schmalen Flur zu einer Metalltür. Nozipho öffnete sie, und sie standen in der Garage. Kaum Luft zum Atmen, so stickig und so heiß. Von der Decke baumelte eine Glühbirne an einem Kabel und versorgte den leeren Raum mit ein wenig Licht. Unter dem Tor, das nach draußen führte, schienen zwei oder drei Sonnenstrahlen hindurch. Es roch nach Motorenöl. Ein Regal stand an der Wand. Werkzeugkasten. Kühlbox. Gummistiefel. Ein Stahlschrank stand offen, beinah leer, bis auf zwei gelbe Plastikboxen. Dann sah Thembinkosi noch eine sehr große Kühltruhe in der Ecke. Sonst nichts.

Dahin zog ihn Nozipho. Sie blieb davor stehen. Blickte auf den Deckel.

Es dauerte ein paar Sekunden, bis Thembinkosi begriff, dass er den Deckel anheben sollte. Er legte die Hand an den Griff und öffnete die Truhe langsam.

Im Schummerlicht sah er die Umrisse eines menschlichen Körpers. Er schloss die Truhe sofort wieder.

22

Eine hohe Leiter oder Alufolie? Oder doch auf anderem Weg raus? Aber wie?

Moses ging zurück zur Straße und blickte sich um. Ein Briefträger an der übernächsten Ecke, beschäftigt damit, wofür er bezahlt wurde. Briefe in Schlitze stecken. Keine Gefahr eigentlich. Aber vielleicht war er auch schon eingeweiht, suchte nach ihm.

Wenn er die zentralen Straßen der Gated Community mied und abwechselnd die Straße ging, die der Außenmauer am nächsten war, und ab und zu auch an der Mauer selbst ... Vielleicht konnte er so den Ausgang erreichen. Dann nichts wie weg, erst einmal ausatmen und sich dann endlich um den Wagen kümmern.

Er dachte wieder an Sandi. Es war schon nach halb zwei. Bestimmt machte sie sich große Sorgen. In Südafrika verschwanden täglich Leute. Einfach so. Und die wenigsten von ihnen freiwillig. Die allermeisten von ihnen tauchten zwar später wieder auf – aber nur selten lebendig.

Trotzdem ... bevor er sich bei ihr meldete, musste er raus hier.

«Hey!», rief jemand hinter ihm. Moses drehte sich um und sah den Weißen mit dem Stock. Sofort rannte er los. «Stehen bleiben!», hörte er noch, da war er schon zwischen zwei Häusern verschwunden und hatte nur noch wenige Meter bis zur Außenmauer. Weiterlaufen. Weg von dem Weißen.

Das kann nicht gutgehen, dachte Moses, als er über eine Hecke sprang. Irgendjemand würde ihn sehen. Und hoffentlich nur die Cops rufen, aber nicht schießen. Er wollte sich das gar nicht ausmalen.

Die Cops, dachte er. Und sprang über eine hüfthohe Mauer. Dabei streifte er mit einem Schuh deren oberste Kante. Nur ganz kurz hatte er Schwierigkeiten, seine Balance wiederzufinden. Dann ging es weiter. Das war aber auch hoch gewesen. Die Cops, dachte er wieder. Warum sollten die ihn nicht retten? Er hatte nichts getan. Hatte nicht einmal einen strafbaren Gedanken gehabt.

Über die nächste Hecke. Hoch das Bein. Das nächste nachziehen. Und er lag auf dem Bauch. Rechte Hand unter dem Körper, beim Versuch, den Sturz aufzufangen. Linke Hand neben dem Leib. Rechtes Bein angewinkelt, das linke, mit dem er in der Hecke hängengeblieben war, ausgestreckt.

Zum Glück war er auf eine Rasenfläche gefallen. Aber die rechte Hand tat weh. Er stützte sich auf und erhob sich. Eine Alarmsirene ertönte irgendwo. Security? Das war keine Cop-Sirene. Als er auf den Knien war, sah Moses im Fenster hinter der offenen Terrassentür eine alte, dünne Frau. Sie hatte ein Telefon am Ohr. Er rannte weiter. Die nächste Hecke nahm er mit viel Mühe.

Der Alarm war nicht mehr zu hören, stattdessen ein Motorengeräusch. Nicht fern. Die nächste Mauer. Moses stützte sich auf. Und nur in der Entschleunigung sah er den Spalt zwischen Fenster und Rahmen. Er blickte sich kurz auf dem Gelände um. Vertrockneter Rasen, Beete ohne Blumen, ein Kinderfahrrad, Terrassentisch und ein paar Stühle, die locker darum herumstanden. Alles geschlossen. Terrassentür und Fenster. Nur das eine nicht. Er ging langsam auf das Haus zu, blickte hoch zur ersten Etage. Das Haus wirkte verlassen. Nicht für immer, sondern für den Tag. Vorsichtig drückte er das Fenster auf. Kinderzimmer.

Nachdenken, sagte sich Moses. Du musst nachdenken. Kurz heulte der Alarm des Autos wieder auf. Nah. Moses sprang hoch, drückte den Körper in die Öffnung hinein und atmete kurz durch. Dann drückte er weiter und landete mit dem Kopf zuerst auf einem bunten Teppich. Er stand schnell wieder auf und schloss das Fenster. Dann blieb er stehen und hörte nur noch seinen eigenen Atem.

23

«Luvuyo, die Leiter. Peter, du mit dem Material. Mcebisi, du das Werkzeug. Fezile, Nachschub. Eddie, du die Sicherheit. Auf geht's, Jungs.» Rob van der Merwe klatschte in die Hände. «Hi, Mr. Bartlett», sagte er dann leiser. Er reichte einem dicken Mann die Hand, der ein weißes Button-down-Hemd zu hellblauen Shorts trug. Schweißflecken auf der Brust und unter den Armen.

«Hi», entgegnete der. «Wie lange werdet ihr brauchen?»

«Unter zwei Stunden. Wir müssen sichergehen, dass es dicht ist. Das dauert länger als die eigentliche Arbeit.»

«Scheißaffen. Ich muss zurück ins Büro. Aber für euch ist das ja ein gutes Geschäft.»

«Geht so. Der Aufwand ist höher als der Ertrag. Aber ich rate ja immer, den Abfall nicht vor die Haustür zu stellen. Der gehört vor das Tor, nach draußen.»

«Kaffee?»

«Zu heiß.»

«Wasser? Faulheit. Das mit dem Abfall.»

«Das wäre super. Ich weiß. Aber so locken Sie die Affen an. Und wenn die lange genug auf Ihrem Dach herumspringen, brauchen Sie meine Hilfe. Danke.» Van der Merwe grinste, nahm das Glas und trank das kalte Wasser in einem Zug aus.

«Ich geh mal wieder raus und schaue, ob die da draußen alles richtig machen. Sie wissen ja ... Besser, man sieht genau hin.»

«Nichts wichtiger als Kontrolle. Wem sagen Sie das.»

Van der Merwe stellte sich so, dass er seine Angestellten im Blick hatte. Kleinigkeit eigentlich. Ein paar Schindeln auswechseln. Eigentlich sollte das ganze Dach neu gedeckt werden. Aber so eine Ausgabe scheuten die Leute. Lieber die kleinen Schäden reparieren und darauf hoffen, die größere Investition aufschieben zu können. Wer konnte es ihnen verdenken in diesen schwierigen Zeiten?

«Träum nicht, Mcebisi!», rief er. «Los, macht voran. Wir werden hier für die Arbeit bezahlt und nicht für die Zeit, die wir vertrödeln. Und denkt daran, wir müssen um halb vier in Amalinda sein. Also ...»

Mcebisi musste er sowieso den Kopf waschen. Einfach ohne Blaumann zur Arbeit zu kommen. Dabei war das das Einzige, was er verlangte. Nie ohne Blaumann. Und der Idiot hatte auch noch das Tuch verloren, mit dem er den Kopf vor der Sonne schützte. Ohne holte er sich auf dem Dach einen Stich.

Pünktlichkeit verlangte er natürlich auch. Und sorgfältige Arbeit. Manchmal war es zum Verzweifeln.

24

«Was ist das?», fragte Thembinkosi. Nozipho schaute ihn nur an.

«Was ist das? Warum hast du die Truhe überhaupt aufgemacht?»

«Du hast im Gefrierschrank schon mal 20 000 Rand gefunden», sagte Nozipho. «Erspar dir die Frage. Und das ist eine tote Frau.»

«Hast du sie dir angesehen?»

«Nur ein bisschen.»

«Und?»

«Älter als wir. Weiß. Nicht arm.»

«Weiß.»

«Hmhm.»

«Und?»

«Und was?»

«Was machen wir mit ihr?»

«Gar nichts. Wir warten ab, bis die da draußen weg sind, und verschwinden», sagte Nozipho.

«Wir hätten nie hier reinkommen sollen.»

«Aber du hast nicht widersprochen.»

«Ich weiß. Aber ich hatte kein gutes Gefühl. Und ...»

Nozipho öffnete die Truhe wieder. «Wir haben sie da nicht reingelegt. Wir haben sie nicht umgebracht. Wir verschwinden einfach, und das war es.» Sie schloss die Klappe wieder.

«Woher weißt du, dass sie umgebracht worden ist?» Thembinkosi schaute Nozipho an. Nozipho blickte zurück. «Weiß ich nicht.»

«Warum hast du es dann gesagt?»

Nozipho brauchte ein paar Sekunden für die Antwort. «Warum legt man eine Frau in die Tiefkühltruhe?»

«Damit sie nicht riecht?»

Nozipho sagte nichts.

«Weil ...», sagte Thembinkosi, «es ist der heißeste Tag des Jahres?»

Nozipho nickte. Und dachte nach. «Aber ... was hast du gemacht, als deine Mutter gestorben ist?»

«Einen Arzt gerufen.»

«Aber sie war tot. Warum einen Arzt?»

«Weil ... weil ... Ich musste ja irgendetwas tun.»

«Aber du wusstest, dass sie tot war.»

«Ja», sagte Thembinkosi. «Irgendwie wusste ich das. Aber vielleicht war ich mir nicht sicher.»

«Und hast du irgendwann an dem Tag daran gedacht, deine Mutter in die Tiefkühltruhe zu legen?»

«Bist du verrückt?»

«Aber es war heiß, als sie gestorben ist. Ich erinnere mich.»

«Trotzdem!»

«Siehst du?»

«Siehst du was?»

«Dass man Frauen nicht in Tiefkühltruhen legt. Das ist es, was ich sagen will. Auch nicht, wenn sie tot sind.»

«Ja», sagte Thembinkosi. «Das weiß ich auch. Das tut man irgendwie nicht.» Er schaute auf den Boden. Vor der Tiefkühltruhe sah er einen Flecken, der ihn an etwas erinnerte. Aber er wusste nicht, an was. Das Licht in der Garage war nicht hell genug, um zu erkennen, was auf den grauen Boden getropft war. Er holte sein Telefon aus der Hosentasche, bückte sich und leuchtete den Flecken an. Und dann erinnerte er sich.

Langsam erhob er sich wieder und öffnete die Truhe. Die

Tote sah so friedlich aus, wie ein Mensch, der tot in der Tiefkühltruhe lag, nur aussehen konnte. Das Licht des Telefons sah ein leicht faltiges Gesicht, schütteres graues Haar, gestreiftes T-Shirt und Jeans-Shorts mit Applikationen.

«Halt den Deckel mal», sagte Thembinkosi. Dann fuhr er langsam mit einer Hand in die Truhe hinein. Er berührte die Tote am Knie und zog die Hand schnell wieder zurück.

«Was ist?», fragte Nozipho.

«Die ist noch warm!»

25

Weiße Puppen. Weiße Popstarmädchen auf Postern. Er kannte keine von ihnen. Das Zimmer war vollgestopft mit bunten Dingen. Gelbe Bettwäsche, roter Teppich, Stofftiere in allen Farben. Moses nahm einen rosafarbenen Elefanten vom Regal, der mit hoher Stimme «I love you» sagte, als er ihn drehte. Kurzer Schreck. Hatte das jemand gehört? Er stellte den Elefanten wieder weg und lauschte noch einmal ins Haus hinein. Öffnete die Tür zum Wohnzimmer, schaute durch die Terrassentür nach draußen. Von dort war er eben gekommen. Dann ging er durchs Haus hindurch zur Vorderseite.

Der Wagen, dessen Alarm er gehört hatte, stand fast genau vor der Tür. Das Blaulicht war angeschaltet. Der Uniformierte, den er eben schon gesehen hatte, der Frosch, saß am Steuer und redete mit dem Weißen, der so gern den Schlagstock schwang. Die beiden sahen nicht aus wie beste Freunde. Moses konnte nicht hören, was sie sich erzählten, aber er sah, dass sie nur kurze Sätze austauschten. Dann nickte der im Auto, und dann der mit dem Stock. Und dann standen sie herum und blickten in die Gegend. Was für einen Plan hatten die?

Hatten sie überhaupt einen?

Er ging zurück ins Wohnzimmer und suchte die Küche. Öffnete den Kühlschrank, nahm den Orangensaft heraus und trank aus der Flasche. Dann hielt er den Kopf unter den Wasserhahn.

Keine Alufolie in den Schubladen. Auch nicht im Schrank. Vielleicht war sie gerade ausgegangen. Oder wurde woanders gelagert.

Hier war er erst einmal sicher, weil er nicht zu sehen war. Aber wie lange würde die Sicherheit anhalten? Bis die Eigentümer wiederkamen. Bis sie begannen, Häuser zu durchsuchen.

Moses stellte den Saft wieder weg. Nein, das würden sie nicht tun. Eigentum war heilig in Südafrika. Jeder Dieb in der Regierung berief sich darauf. Die Häuser blieben zunächst einmal unangetastet.

Billige Möbel, aber teure Geräte. Ein Monster von einem Flachbildschirm an der Wand. Lautsprecher, mit denen man ein Stadion beschallen konnte. Zwei MacBooks im Regal. Wie unvorsichtig das war. Daneben ein altes Telefon, wie man es heute nicht mehr kaufen konnte. Kurz überlegte Moses, in die erste Etage zu gehen. Aber er hatte andere Sorgen. Er schlich durch das Erdgeschoss und öffnete kurz alle Türen. Nur eine Stahltür war verschlossen. Die Garage, dachte Moses. Die Leiter, dachte er auch.

Durch das Fenster zur Straße sah er die alte Frau, die er

eben telefonieren gesehen hatte. Sie redete auf die beiden Männer ein. Zeigte auf ihr Haus, dann auf den Boden – der hat in meinem Garten gelegen. Dann zeigte sie zur Seite – und ist weitergelaufen. Jetzt schüttelte sie den Kopf – man ist seines Lebens nicht mehr sicher in diesem Land. Wenn sie allein mit dem weißen Security-Typ wäre, würde sie sagen, dass früher alles besser gewesen war. Er kannte diesen Typ Mensch.

Ein alter Mann kam mit einem kleinen Hund an der Leine hinzu. Er schaute sich ständig um, als er sich der Gruppe näherte.

Moses stöhnte auf. Hier lebten nur Alte und Weiße und alte Weiße. Das Telefon, dachte er.

Er ging zum Regal und hob den Hörer. Ein Freizeichen. Dass er da nicht sofort dran gedacht hatte. Jetzt konnte er endlich Sandi anrufen.

26

«Was heißt das? Die ist noch warm.»

«Fass sie mal an», sagte Thembinkosi und hob den Deckel der Tiefkühltruhe wieder an.

«Nein», sagte Nozipho. «Ich will nicht. Ich will die nicht anfassen. Warum ist die noch warm?»

«Weil sie noch nicht lange tot ist.»

«Aber ...»

«Und weil sie noch nicht lange in der Truhe liegt.»

«Und ...»

«Wir müssen einfach hier weg.»

«Aber ... Dann haben die in dem Auto die da reingetan.»

«Vielleicht.»

«Wieso vielleicht? Wer denn sonst?»

«Ich weiß es nicht. Ich bin nicht hier, um ...» Thembinkosi stockte. Er wusste nicht, wie er den Satz beenden sollte.

«Was?»

«... um einen Mord aufzuklären.»

Nozipho starrte ihn an. «Jetzt hast du auch Mord gesagt.»

«Komm», sagte Thembinkosi und nahm Noziphos Hand wieder. Er zog sie ins Haus hinein und zur Tür des kleineren Schlafzimmers. Er öffnete die Tür, damit mehr Licht in den Flur fiel. «Da!», sagte er und zeigte auf den Fleck.

«Was ist das?»

«Blut, glaube ich.»

Nozipho bückte sich und schaute ihn sich genau an. «Und woraus schließt du, dass die alte Frau ermordet worden ist? Da kann sie sich auch den Fuß gestoßen haben.»

«Das hast du doch eben selbst gesagt. Welchen anderen Grund soll es geben, sie in die Truhe zu legen, statt den Arzt oder die Polizei zu rufen?»

27

Wenn er sich doch nur an Sandis Nummer erinnern könnte. Das neue Telefon, nachdem ihr das alte im Bustaxi gestohlen worden war. Die Nummer hatte er in sein eigenes Telefon eingespeichert und dann ... vergessen.

Erinnere dich. Bei jeder SMS, die du ihr schreibst, siehst du die Nummer. 082, sagte er sich. Sie beginnt mit 0, 8 und 2. Klar. Aber dann.

Erinnere dich. Du siehst diese Nummer jeden Tag. 082, dann ... da waren zwei Ziffern doppelt. Das war schon mehr als die halbe Miete bei insgesamt sieben, die noch fehlten.

Aber was sollte Sandi tun? Die Polizei rufen? Das hatten die anderen sicher schon getan. Die doppelten Ziffern. Komm schon drauf. Im Zweifelsfall sah Sandi, wie er abgeführt wurde. Und sie würde vielleicht nicht allein kommen. Zeugen waren immer gut.

Zweimal die Sieben, und zweimal die ... zweimal die Neun. Das erste Pärchen ziemlich am Anfang. 082, dann eine 4, dann die beiden 7er. 082–477. Die beiden 9er waren fast am Ende. Oder?

Oder ganz am Ende. Klar. 082–477, dann fehlten noch zwei Ziffern, und dann die beiden 9er. Der alte Mann, der gerade hinzugekommen war, begann hektisch zu gestikulieren. Dabei zeigte er auf den kleinen Hund, eine hässliche Kreatur mit einem Haarbusch am Ende vom Schwanz.

Ungerade Ziffern. So war es. Irgendwann hatte er beim SMS-Tippen gesehen, dass die meisten der Ziffern ungerade waren. Zwischen den 7ern und den 9ern waren weitere ungerade Zahlen. Was blieb also? Die 1? Nein. 3 und 5? Oder 5 und 3?

Moses versuchte es. 082–477 35 99. Frei. Klingeln. Warten. «Ja!», bellte eine Männerstimme. Er beendete das Gespräch.

082–477 53 99. Wieder frei. Klingeln. Warten.

«Hey!», sagte Sandi.

«Ich bin's.»

«Was ist? Warum kommst du nicht? Warum ist dein Telefon aus?»

«Ich kann nicht.»

«Wie ... du kannst nicht?»

«Ich bin gefangen.» Moses erzählte die Geschichte von dem Moment an, als das Auto stehengeblieben war. Redete von Khanyo, von dem Kommilitonen, an dessen Namen er sich nicht erinnern konnte, vom Referee und von dem Weißen mit dem Stock und davon, dass er weggelaufen war.

«Und wo bist du jetzt?», fragte Sandi, als er aufgehört hatte zu sprechen.

«In einem Haus.»

«Wessen Haus?»

Moses überlegte, was er sagen konnte. Bevor er antworten konnte, sprach Sandi weiter. «Du bist eingebrochen?»

«Das Fenster war offen.»

«Scheiße. Was soll ich tun?»

«Ich weiß nicht.»

«Polizei.»

«Keine Polizei.»

«Ja, eigentlich klar. Aber was denn? Wo ist das genau?»

«Zwischen Abbotsford und Dorchester Heights.»

«Das ist nirgendwo.»

«Das ist Suburbia. Heißt ‹The Pines›. Hier wohnen die Weißen. Und viele von ihnen.»

«Ja, das ist mir klar. Soll ich kommen?»

«Und dann?», fragte Moses.

«Wo ist denn das Haus genau?»

«Keine Ahnung. Ich bin nur gelaufen.»

«Ich bringe alle mit, die wir kennen!»

«Das ist gut. Lass mich nicht allein!»

«Hm ... Auf gar keinen Fall», sagte Sandi. «Klar!»

«Ich liebe dich», sagte Moses.

«Ich dich auch. Komm zum Ausgang.» Dann beendete Sandi das Gespräch.

Irgendetwas war geschehen, dort, wo der alte Mann gerade hergekommen war. Moses fragte sich, ob er auch durch seinen Garten getrampelt war. Hatte er eine seiner Hecken niedergerissen? Einen Gartenstuhl umgestoßen? Der Mann fuhr sich durchs Gesicht. Und dann noch einmal. Der Weiße mit dem Schlagstock legte einen Arm um ihn und holte eine Packung Taschentücher aus seiner Hosentasche. Gab dem Mann eines. Er weinte ganz offensichtlich. Die Frau, die ihn hatte fallen sehen, redete auf ihn ein und schüttelte dabei den Kopf.

Wegen der Hecke? Wohl kaum. Vielleicht war das seine Chance, dachte Moses. Während die da draußen das Schicksal des Alten verhandelten, konnte er hintenrum entkommen. Er ging zur Terrassentür und blickte durch die Scheibe hinaus. Einfach weiter an der Mauer, so schnell wie möglich. Irgendwann musste er dann schon ans Tor kommen und in die Freiheit. Er war kurz davor, den Schlüssel in der Glastür zu drehen und sie zu öffnen, als ihm einfiel, dass er so einen Alarm auslösen konnte. Manche Türen und Fenster waren über Alarm gesichert, und wenn man sie öffnete, startete der Lärm. Genau das brauchte er jetzt nicht.

Moses ging wieder ins Kinderzimmer und öffnete das Fenster. Das hatte eben keine Probleme gemacht und würde es jetzt auch nicht tun.

Er steckte vorsichtig den Kopf hinaus und schaute nach rechts und dann nach links. Nichts. Langsam ließ er sich herab, bis er wieder auf der Terrasse stand. Dann lief er in dieselbe Richtung wie eben. Weniger panisch. Ruhiger. Er wusste, was er wollte. Er musste irgendwie zum Ausgang kommen. Und Sandi musste irgendetwas einfallen.

28

Hlaudi blickte aus dem Auto heraus auf den Weißen. Er war ganz in Schwarz gekleidet. Ausgewaschenes Kurzarmhemd mit Schulterklappen. Bestimmt aufgenäht. Die dünnen Beine guckten aus weiten Shorts mit dicken Taschen heraus. Sein Gesicht war hager. Er sah aus wie einer, der viel zu viel geraucht hatte im Leben.

«Fast gekriegt!», sagte der Weiße.

Fast gekriegt hieß nicht gekriegt, dachte Hlaudi. «Klappt nicht immer!», sagte er. «Nächstes Mal.» Er konnte sich gerade noch verkneifen zu grinsen.

«Der Bastard war unglaublich schnell!»

«Jung. Ich hab ihn laufen gesehen.»

«20 oder so.»

«Hmhm.» Hlaudi sah, wie der Weiße den Gummiknüppel von einer Hand in die andere und wieder zurück wechselte. Er sah aus wie jemand, der keinen Job hatte und das hier aus Spaß machte. Ein Haus hier konnte er sich bestimmt nicht leisten. Wie viel mochten die überhaupt kosten, fragte er sich. Auf jeden Fall mehr, als er sich selbst leisten konnte. Viel mehr.

«Hallo!», kam eine Stimme von hinten. «Hallo!» Im Rückspiegel sah Hlaudi eine alte Frau in blauer Hose und weißem

T-Shirt langsam näher kommen. Der Weiße neben ihm stützte die Hände in die Hüften, die Frau erreichte gerade das Auto. Sie schaute von einem zum anderen und wieder zurück. Dann wandte sie sich an den Weißen.

«... gar nicht glauben ... vor meiner Tür ... auf einmal ... und hingefallen ... weitergerannt ...» Der Weiße nickte unaufhörlich. Die Frau schaute wieder von einem zum anderen und machte dann eine Pause. «Wer ist denn jetzt ...?»

«Er hier!», sagte der Weiße und zeigte mit dem Prügel auf Hlaudi.

«... verantwortlich?», sagte die Frau. «Dann ...»

«Der Junge ist also weitergelaufen?», fragte Hlaudi.

«Ja, sage ich doch», sagte die Frau. Hlaudi konnte sehen, dass sie langsam ruhiger wurde.

«Wie ist der überhaupt hier reingekommen?», fragte sie. «Sind Sie nicht dafür zuständig, dass so was nicht passiert?» Sie schüttelte so heftig den Kopf, dass Hlaudi Angst hatte, sie würde sich was verrenken.

«Sind wir nicht», sagte er dann. «Aber wir kriegen den.»

Im Rückspiegel mehr Bewegung. Ein alter weißer Mann, der sich dem Auto näherte. Braune Anzughose, weißes Hemd. Früherer Regierungsangestellter, schätzte Hlaudi. Viel früher, als das System noch ein anderes gewesen war. Der Mann führte einen Hund spazieren. Nur, dass er nicht so entspannt wirkte, wie Weiße normalerweise beim Hundeausführen waren. Er winkte ihnen.

Oder nur der weißen Frau. Oder beiden Weißen. Oder ihm vielleicht, weil er im Security-Wagen saß. Hlaudi wusste es nicht.

«Einbruch», sagte der Mann nur, als er sie erreicht hatte. Er hatte stoppelkurzes weißes Haar und holte Luft. «Sie waren in meinem Haus.» Er holte ein perfekt gefaltetes weißes Taschentuch aus der Hosentasche und tupfte sich die Stirn ab.

«Oh nein, mein Lieber ...», sagte die Frau, die zuerst angekommen war, und legte ihm eine Hand auf die Schulter.

«Nobbie war ganz allein zu Haus.» Er zeigte auf den Hund, den Hlaudi nicht mehr sehen konnte, weil er im Auto saß. «Ich habe sofort gemerkt, dass etwas nicht stimmt.» Er machte eine Pause und erwartete, dass er eine Frage stellte.

«Ist was kaputt?», fragte Hlaudi.

«Das Schloss war komisch. Ich habe sofort gemerkt, dass etwas nicht in Ordnung war.»

«Und was fehlt?»

«Geld ist weg», sagte er. «Und Schmuck auch.» Ihm kamen die Tränen. Der weiße Mann mit dem Stock reichte ihm ein Papiertaschentuch.

29

Draußen Bremsgeräusche. Thembinkosi und Nozipho gingen zum Fenster des kleinen Schlafzimmers und blickten hinaus. Noch ein Central-Alert-Wagen, wieder ein Polo. Noch einmal zwei Leute, die zunächst aber im Auto blieben. Das Auto mit dem Uniformierten, der zuerst angekommen war, hatte die Szene schon wieder verlassen. Die beiden Fahrer der verbliebenen Wagen redeten miteinander. Einige Meter entfernt standen die beiden Rookies, die schon länger da waren, und unterhielten sich ebenfalls.

«Das werden sie uns anlasten!», sagte Nozipho.

«Was?»

«Den Mord. Wenn es einer war.»

«Hab ich dir gesagt, dass ich einen Jungen hab davonlaufen sehen?», fragte Thembinkosi. Nozipho schüttelte den Kopf. «Du meinst, der hat die Frau ...»

«Nein, aber wegen dem sind die hier.»

«Und ... die Frau ...»

Thembinkosi sah sich erneut in dem Zimmer um. «Sind die beiden Leute im Auto wirklich von hier gekommen?» Er verließ das Zimmer und kam kurz darauf mit dem Foto aus der Lounge zurück. «War das einer der beiden?», fragte er.

Nozipho nahm ihm das Foto aus der Hand. «Also ... Ich weiß nicht.»

«Aber das waren zwei Männer. Oder?»

«Hmhm. Glaube schon. Ich hab nicht so darauf geachtet. Ich wollte auch nicht so glotzen.» Thembinkosi nahm das Foto wieder an sich. Er stellte sich den Bärtigen zuerst ganz ohne Bart und dann einfach nur unrasiert vor. Aber er war sich nicht sicher. «Ich hab auch nicht so hingesehen. Schien auch nicht wichtig zu sein. Wir müssen hier raus.»

«Aber wie denn?»

«Du musst dir erst mal was anderes anziehen. Komm mit!»

30

Viel besser, nicht so panisch zu sein, dachte Moses. Er schwitzte immer noch wie ein Schwein. Er sah auch aus wie eins. Der Staub am Morgen, der Schweiß jetzt, in dem Garten hingefallen, aus dem Fenster geklettert. Alles hatte seine Spuren hinterlassen. Und er roch auch wie eines, dachte er.

Über die nächste Hecke und rein in den nächsten Garten. Und da ging von der Außenmauer eine Mauer ab, die zu hoch war, um drüberzuspringen. Er blieb stehen und sah, dass die mehr als hüfthohe Mauer zwei Grundstücke voneinander trennte. Also ging er Richtung Straße und blickte vorsichtig nach beiden Seiten.

Der Security-Wagen war hinter der Kurve verborgen und er damit sicher vor den Blicken dieser Leute. Sein Problem war, dass er nicht wusste, wie weit der Weg zum Tor noch war. Er hatte so oft die Richtung gewechselt, und «The Pines» war so groß, dass er sich verloren vorkam. An der Außenmauer entlangzulaufen, erschien ihm als die sicherste Lösung, aber sie war auch langwierig. Die vielen Hindernisse. Der ungewollte Kontakt zu Leuten, die um diese Uhrzeit zu Hause waren. Warum also nicht abkürzen? Vielleicht waren ein paar Meter Straße ja die richtige Lösung.

Blieb eine Frage. Laufen oder gehen?

Drei Sekunden Nachdenken. Laufen verkürzte die Dauer, wirkte aber verdächtig. Gehen kostete mehr Zeit, alarmierte dafür weniger Leute. Moses entschied sich für die langsamere Variante.

Er nahm die Straße, die gegenüber begann. Ein bisschen hinein in die Gated Community, dann abbiegen und bald schon den Ausgang sehen. Ruhig gehen. Nicht umschauen. Bleib cool, sagte er sich. Weitergehen, einfach weitergehen, dachte er. Vielleicht war alles schon bald vorbei.

Abbiegen. Weitergehen. Die Straße, die er eben begonnen hatte zu gehen, mündete bald schon wieder in jene, die der Außenmauer am nächsten war. Dort hatte er die Gelegenheit, schnell hinter die außen gelegenen Häuser zu verschwinden. Das wollte er auch tun, denn gerade fühlte er sich sichtbar. Viel zu sichtbar.

Er sollte sich nicht umblicken, dachte Moses, aber er hatte das Bedürfnis, es zu tun. Eins, zwei, drei. Nur, um sicherzugehen, dass von hinten keine Gefahr drohte. Er blieb stehen und sah auf die Uhr. Fast zwei Uhr. Dann blickte er hinter sich. Scheiße. Da war der Weiße von eben schon wieder. Der mit dem Stock. Er schlug ihn wieder in die Handfläche und kam mit schnellen Schritten näher.

Moses begann, wieder zu laufen. Zuerst langsam, dann schneller. Vorn die Einmündung, und bis dahin entscheiden, ob er nach rechts oder nach links wollte. Beschleunigen. Noch schneller laufen.

Von vorn kam jetzt ein Auto. Security. Verdammt. In der Falle. Moses blieb stehen und blickte sich um. Der Weiße von hinten. Das Auto von vorn. Dann verschwand er mit einem Sprung über ein paar bunt blühende Blumen auf ein Grundstück und zwischen zwei Häusern.

31

Thembinkosi öffnete den Kleiderschrank im großen Schlafzimmer. Dabei dachte er an den Slip, den er in der Jackentasche hatte. Besser, er erwähnte den jetzt nicht.

«Und?», fragte Nozipho.

«Such dir was aus.»

«Aber was?»

«Was dir passt. Was dir steht. Was dir gefällt.»

«Hm ... Und du meinst, das ist die richtige Strategie?»

«Fällt dir was Besseres ein? Die Nummer mit der Maid ist ja nur so lange gut, wie sie niemand genauer betrachtet. Jetzt brauchen wir was Neues.»

Nozipho holte ein Kleid aus dem Schrank. Weiß-gelbe Nadelstreifen. Ärmellos. Sie hängte es wieder zurück. Ein anderes war rot mit Flecken in Ocker, wie draufgeworfen. Eins schlicht in Marineblau.

«Was ist?», fragte Thembinkosi. «Die sind doch schön.»

«Passen nicht ganz.»

«Wieso? Zu eng?» Thembinkosi nahm ein Kleid in die Hände und betrachtete es. Es war schwarz, der Stoff floss angenehm durch seine Finger. Irgendwie passten die schicken Sachen nicht zum Rest der Wohnung.

«Klar zu eng.»

«Hmhm ... Such einfach weiter. Du findest schon was.»

Als Nozipho nichts sagte, fügte er noch hinzu: «Und wenn es etwas eng ist ... Ich mag das gern. Und die Jungs da draußen bestimmt auch!»

«Geh jetzt mal raus», sagte Nozipho. «Ich mach das schon.»

32

Hecken und Mauern, halb- und schulterhoch. Für den Moment verbargen sie ihn. Moses hockte zwischen vier Häusern, sah jeweils die 90-Grad-Ecken der Gemäuer. Hinter ihm die Straße, von der er gekommen war, vor ihm die nächste. Das war die, die er überqueren musste. Und davor hatte er Angst. Wer würde ihn dann sehen? «Die Jagd hat begonnen», sagte er halblaut.

Hinter ihm eine Stimme. «Da muss er irgendwo sein.» Das war der Weiße. Wenn er mit jemandem kommunizierte, dann waren der Wagen und wer immer darin saß, ebenfalls dort hinter ihm. Und vielleicht war die Straße vor ihm eben noch nicht abgedeckt. Also musste er jetzt laufen. Moses brach durch die Hecke und schaute auf ein vergittertes Wohnzimmerfenster. Rechts oder links vorbei? Egal.

Er lief links.

Vorbei am Haus, zur anderen Seite wieder eine Mauer, jetzt der Vorgarten. Irgendetwas blühte dort. Ganz kurz zögerte er, bevor er die Straße erreichte. Dann sprintete er weiter.

Auf der Straße sehr schnell die beiden Seiten checken. Leer die Straße zur einen Seite. Überhaupt nicht leer in die andere Richtung. Er sprang auf das nächste Grundstück. Prüfte kurz. Einstöckig. Rollläden unten. Gut. Unbewohnt oder leer. Hinter das Haus. Kurz überlegen.

Vor ihm war nur noch die Außenmauer. Was hatte er gesehen, kurz bevor er hierhin verschwunden war? Ein Auto, stehend, eine Person daneben. War das das Blau und Silber der Security-Firma gewesen? Ja, wahrscheinlich. Also noch ein weiterer Wagen. Und die Person? Woran erinnerte er sich? Ein Mann. Nein, eine Frau. Wie alt? Egal. Das kriegte er nicht mehr zusammen. Wichtiger war das Auto. Wer immer darin saß, hatte ihn gesehen. Und würde jetzt was tun? In die Richtung fahren, in die Moses laufen würde. Zum Ausgang.

Also tat er das Gegenteil. Auch wenn es ihn schmerzte. Zurück Richtung Fluss. In die andere Richtung. In die falsche. Er rannte weiter. Hecken und Mauern.

Mauern und Hecken.

Er war vorsichtig, wenn er sie übersprang. Nachdem er einige Male gesprungen war, hockte er sich wieder hin und blickte sich um. Er hatte gar nicht gemerkt, dass die Häuser hier schon wieder zweistöckig waren. Das war schlecht, denn damit war er endgültig wieder im hinteren Teil der Gated Community angekommen. Wo er doch nur rauswollte.

Moses hockte auf einer Terrasse mit einer Galerie von Blumenkübeln. Überall andere Farben. Plastiktisch und Plastikstühle. Gitter vor Tür und Fenstern. Er hob seinen Kopf über die Hecke und blickte zurück.

Fern sah er eine Uniform, dort, wo noch die einstöckigen Häuser standen. Wenigstens hatte er sich richtig entschieden. Zum Ausgang zu laufen, hätte ihn in die direkte Konfrontation mit diesen Typen gebracht. Eine zweite Uniform kam hinzu. Sie sprachen. Kamen in seine Richtung. Gehend. Weit entfernt. Keine Gefahr.

Für jetzt.

Er drehte sich um.

Hinter dem nächsten Grundstück stand ein Mann auf der Terrasse. Schaute in seine Richtung. Moses zog den Kopf sofort ein. Bewegte sich ein wenig zur Seite. Hier war die Hecke etwas weniger dicht. Versuchte hindurchzusehen.

Der Mann war um die 50. Stämmig. Wenig Haare auf dem Kopf. Ursprünglich vielleicht blond. T-Shirt mit dem blöden Sharks-Motiv, in dem der Hai mit dem Rugbyball rumrennt. Jetzt drehte er sich ab, griff hinter sich und setzte eine Brille auf. Sah wieder in seine Richtung. Nahm die Brille wieder ab. Blinzelte. Verschwand dann im Haus.

Moses drehte sich langsam. Die beiden Uniformen kamen auf ihn zu, waren aber noch weit entfernt. Er zwang sich durch einen Spalt in der Hecke auf das nächste Grundstück. Kriechend. Blickte dann über eine Mauer, die nur kniehoch war, in das Haus hinein, in das der Mann eben verschwunden war. Durch das Terrassenfenster konnte er ihn nicht sehen.

Das hieß… gar nichts. Er konnte genauso gut hinter irgendetwas verborgen sein und ihn beobachten. Aber welche Wahl hatte Moses? Er rollte sich über das Mäuerchen und schaute noch einmal ins Haus. Nichts. Krabbelnd weiter. Hechtsprung über die nächste Mauer. Hüfthoch. Aufgekommen im Beet. Ein Schmerz. Moses zog sich zusammen und rollte weiter. Im Unterarm steckte ein Dorn. Er zog ihn heraus. Schaute auf den kleinen Busch, den er geplättet hatte. Irgendwelche gelben Früchte. Die Uniformen waren näher gekommen.

Nicht weit, und er war schon wieder in einem Winkel der

Außenmauer angekommen. Nahe dem Fluss. Über eine weitere kleine Mauer rollen, noch eine Hecke, die er eher nach unten drückte, als drüberzuspringen. Jetzt konnte er um eine Hausecke herum sehen.

Nicht weit von ihm, vielleicht drei Grundstücke weiter, standen ein paar Leute und diskutierten. Eine Uniform unter ihnen. Moses konnte ihre Aufregung spüren. Fast alle waren weiß. Nur die Uniform schwarz. Er wollte gar nicht wissen, was die redeten. Er wollte hier weg. Er wollte raus. Aber wie? Schau dich um!

Und Moses glaubte nicht, was er sah. Schloss die Augen und öffnete sie wieder. Tatsächlich. Die nächste Terrassentür, nur wenige Meter entfernt, war einen Spalt weit geöffnet. Wie unvorsichtig die Leute waren. Da hatten sie schon so eine Angst vor dem Einbrecher, vor dem schwarzen Einbrecher ... Aber wenn es zu den Sicherheitsvorkehrungen kam, den ganz normalen, dann versagten sie. Durch die Tür und in das Haus hinein. Und durchatmen. Wie eben. Das war der neue Plan.

Niemand sah in seine Richtung. Er teilte die Hecke ganz langsam und kroch hindurch. Langsam, nur nichts Hektisches tun. Noch ein paar Meter. Der Übergang vom gut gepflegten Rasen zur gekachelten Terrasse. Die offene Tür fast zum Greifen nah. Noch einen Meter.

Er musste die Tür ein Stück aufschieben. Dann war er durch, drehte sich im Liegen, streckte den Kopf noch einmal nach draußen und überprüfte die Situation. Er war nicht bemerkt worden.

Moses stand auf und reckte sich. Wie unwürdig dieses Kriechen war. Und das Weglaufen.

Und das Verstecken natürlich. Er schloss die Tür leise und hörte ins Haus hinein. Nichts. Kein Geräusch. Trotzdem beschloss er, sehr vorsichtig zu sein. Aber zuerst brauchte er etwas zu trinken.

33

Thembinkosi sah schon wieder einen Security-Wagen ankommen. Jetzt waren es zwei Polos und ein nagelneuer Toyota-Bakkie, aus dem vier weitere Leute ausstiegen. Fünf Männer und zwei Frauen standen vor dem Haus, alle in den Central-Alert-Uniformen. Der Fahrer des zweiten Polo sah aus, als sei er der Chef oder Ranghöchste von ihnen. Er redete und gestikulierte, dann hob er kurz die Schultern. Abwarten. Er schüttelte noch den Zeigefinger. Wir kriegen den. Jemand aus der Gruppe nickte. Klar, Chef. Was sollte er auch sagen?

«Und?», hörte er von hinten Nozipho. Er drehte sich um, und sie hatte tatsächlich das weiße Kleid mit den gelben Nadelstreifen angezogen. Passte doch. Sie sah super aus.

«Spannt ein bisschen!», sagte sie.

«Macht nichts», sagte er und schaute an ihr herab. «Die Laufschuhe sind ein bisschen komisch, oder?»

«Hm ... ja, aber ich behalte meine Schuhe an. Und wenn ich wirklich laufen muss, dann spannt es nicht nur, dann reißt es auch. Aber so weit sind wir ja nicht. Noch nicht.» Sie kam zum Fenster: «Und was tut sich draußen?»

«Viele Leute. Zu viele. Security.»

«Wegen dem ... Wen hast du noch mal gesehen?»

«Ich weiß nicht. Junger Typ, ffffhhhh ... Der war ... jung eben. Ich hab ihn doch nur eine Sekunde gesehen. Und dann ist ihm jemand hinterhergelaufen. Ein Weißer.»

Nozipho schüttelte den Kopf. «Wir warten einfach ab!»

«Bis weniger von denen da draußen sind.»

«Hast du eine bessere Idee?»

«Nein», sagte Thembinkosi. «Nein!» Er zog deutlich hörbar Luft durch die Nase ein. «Hast du von ihrem Parfum genommen?»

«Nur ein bisschen! Wirklich nur ein ganz kleines bisschen.»

34

Viel Grünes im Kühlschrank. Salat, Gurken, Äpfel, Kräuter. Anderes Obst auch. Kein Fleisch. Mehrere Säfte. Eine weiße Frau, dachte Moses, typisch. Er griff zum Karton mit Papayasaft und trank daraus. Dann kniete er sich neben die Anrichte und drehte den Wasserkanister auf. Ließ laufen und soff. Was für ein Durst.

Im Badezimmer nahm er ein Handtuch von der Wand und wischte sich den Schweiß von der Stirn und den Armen. Das Handtuch roch nach teurer Seife. Moses legte es über das Gesicht und roch. Er fragte sich, wo sich die Bewohnerin des Hauses mit dem Handtuch abgetrocknet hatte. Hängte es wieder an die Wand. Ob sie später auch ihn riechen würde?

Die Lounge klein, aber nicht ohne Geschmack eingerichtet. Viele Farben, kein Barock, auf einem kleinen Schrank neben dem Fernseher standen ein paar Fotos. Eine braunhaarige Frau, mittellanges Haar. Ein Foto mit Mama, eins mit einer Freundin, eins mit einer anderen Freundin, noch eine andere Freundin auf einem weiteren Foto, dieses Mal mit asiatischen Gesichtszügen. Kein Mann auf den Fotos. Vielleicht war sie lesbisch. Das würde passen. Viele Lesben lebten vegetarisch. Das hatte er irgendwo gelesen. Oder irgendwer hatte es ihm erzählt. Ganz hinten noch ein Foto, auf dem sie in einem Bikini am Strand saß. Neben ihr noch eine Frau, zehn Jahre älter als sie, mit T-Shirt und Shorts. Moses schaute auf die Frau im Bikini, die sicherlich die Bewohnerin des Hauses war. Versuchte, sie auszuziehen, sie sich nackt vorzustellen. Dann schüttelte er den Kopf. Er hatte andere Sorgen. Echte Sorgen.

Wieder im Bad, klappte er den Klodeckel hoch und pinkelte. Als er die Spülung betätigen wollte, hielt ihn irgendein Impuls zurück. Besser war es, nicht zu laut zu sein. Vielleicht stand gerade jemand vor dem Haus, der wusste, dass die Bewohnerin nicht anwesend war. Die Klospülung im Haus zu hören, wäre da nur irritierend.

Was konnte er jetzt tun? Hier war er erst einmal sicher. Aber die Sicherheit stand im Verhältnis zu dem, was sich draußen tat. Wer war nahe dem Haus auf der Jagd nach ihm? Und wer würde noch hinzukommen? Und die Kernfrage, die sich nicht änderte: Wie konnte er hier rauskommen?

Moses fluchte leise darüber, dass er weiter vom Ausgang entfernt war als noch vor einer Weile. Da hätte er mit etwas Glück das Tor schon sehen können. Und jetzt? War er fast so weit weg davon wie in der Sekunde, als er den beiden Weißen davongelaufen war. Wie lange war das eigentlich her? Er blickte auf seine Uhr. Zwei Uhr schon.

Erst zwei. Es war nicht einmal eine Stunde, die er auf der Flucht war. Dabei kam es ihm wie eine ganze Ewigkeit vor. Und es war immer noch so heiß. Er war schon wieder tropfnass vor Schweiß.

Irgendwo hörte er eine anschwellende Sirene. Mit vollem Alarm kamen sie. Moses hörte genauer hin. Noch genauer. Da war etwas in dem Ton, das ihn irritierte.

Und dann dämmerte ihm, dass es keine Sirene war, die er hörte.

35

Der ranghöchste der Security-Leute schickte zwei Leute, die mit ihm gekommen waren, zu Fuß los. Er redete und zeigte ein bisschen in verschiedene Richtungen. Macht dies, tut jenes. Der junge Mann und die junge Frau, die Neulinge, verschwanden.

Dann nahm er sich die Besatzung des Bakkies vor. Wieder Zeigen und Reden, die vier stiegen ein und fuhren davon.

«Sollen wir jetzt?», fragte Nozipho, gerade als ein weiterer Bakkie angefahren kam. Wieder Central Alert. Wieder vier Leute. Drei von ihnen jung, zwei Frauen, ein Mann. Uniform.

Dann ein älterer Weißer. Fünfzig mindestens. Etwas schwerer. Er hatte Mühe, vom Fahrersitz auf die Straße zu klettern. Einmal draußen, änderten sich vor dem Haus die Machtverhältnisse. Der, der bisher der Chef gewesen war, näherte sich respektvoll dem Weißen. Nickte, bevor ein Wort gesagt worden war. Der Chef sah sich um.

Und? Er stellte die Frage, ohne zu reden.

Der andere redete dafür. Zeigte, gestikulierte, duckte sich. Der Weiße nickte. Griff in die Brusttasche seines Hemdes und holte ein Telefon hervor.

«Das sieht nicht gut aus», sagte Nozipho.

«Hmhm!»

«Alles wegen dem Jungen?»

«Weiß ich doch nicht.»

«Der ruft noch die Cops.»

«Und wenn.»

«Aber ...»

«Was?»

«Nichts!»

«Doch, sag!»

«Wir waren uns schon einig, dass die nicht ewig bleiben.»

«Sie sind schon länger da, als ich gedacht habe.»

«Nein ... ich meine ...»

«Die beiden im Auto? Von eben?»

«Hmhm!»

«Aber die werden auch nicht hierhin zurückkommen, wenn die Gated Community voll ist mit Security. Nicht, wenn sie eben diese Frau in die Tiefkühltruhe gesteckt haben.»

«Das stimmt auch wieder.»

36

Moses entfernte sich langsam von der Terrassentür und ging ins Innere des Hauses.

Dabei warf er noch einmal einen Blick auf die Fotos, auf das Bild mit dem Bikini, das ganz hinten stand.

Er wusste jetzt genau, was er gehört hatte. Dort die Küchentür, gegenüber das Badezimmer, weiter hinten eine andere Tür, sicher eines der Schlafzimmer. Aber Moses ging Schritt für Schritt auf die Treppe zu.

Jetzt hörte er die Sirene wieder, die keine Sirene war. Er war froh über seine weichen Sohlen und auch über die Teppichfliesen, die auf der Treppe lagen. Acht, neun, zehn. Noch vier Stufen. Kurz bevor er oben angekommen war, schob er den Kopf nach vorn. Ein weiterer Flur, ein Schrank dort, zwei Kommoden, alle eher antik. Dahinter ein Spiegel an der Wand, so hoch wie er. Im Spiegel konnte er den hellen Schein eines Zimmers sehen. Den Rand eines Bettes, weiße Wäsche darauf. Reflexionen von Sonnenlicht auf weißen Wänden. Fast war er geblendet.

Der Ton kam zurück. Moses machte einen Schritt nach vorn. Kletterte die letzte Stufe hoch. Schob den anderen Fuß weiter in den Flur hinein. Zog den Körper nach. Ganz langsam. Noch ein Fuß, der Körper folgte wieder.

Im Spiegel war jetzt das Haar der Frau zu sehen. Der Kopf bewegte sich auf und ab, aber gleichzeitig auch nach vorn und nach hinten. Auch ohne den Sound, der sich wie der Körper, den er teilweise sah, auf und ab bewegte, hätte Moses gewusst, was dort geschah. Noch ein bisschen nach vorn. Jetzt konnte er den Körper der Braunhaarigen in Umrissen sehen. Der Rücken, ihr Arsch, von der Seite die Brüste. Ihr Stöhnen wurde intensiver. Noch etwas nach vorn.

Moses war so tief im Flur, dass er das Bild im Spiegel gleich verlieren würde. Ein Schritt zur Seite, und er hatte den direkten Blick ins Zimmer. Wow. Die Frau saß auf einem Mann. Sie war gar keine Lesbe. Die Beine des Mannes lagen unter einem Betttuch, sein Oberkörper war komplett verdeckt von der Frau. Jetzt hörte er auch einen Ton aus seinem Mund. Er antwortete mit langsamem Rhythmus auf den kontinuierlichen Ton der Frau. Ein Bass.

Und Moses erkannte, warum der Raum so hell war. Zahlreiche Spiegel in allen Größen hingen dort, die das Licht des Tages reflektierten.

Er konzentrierte sich wieder auf die Frau. Sie hob und senkte ihr Gesäß immer schneller, und Moses traute seinen Augen kaum. Sie saß auf einem schwarzen Schwanz. Den Mann selbst konnte er immer noch nicht sehen.

Bestimmt war sie Ausländerin. Weiße Südafrikanerinnen schliefen nicht mit schwarzen Männern. Wir haben sowieso alle Aids. Das dachten sie doch.

Hm, dachte Moses, die beiden kannten sich gut. Sie benutzten nicht einmal ein Kondom. Er spürte seine eigene Erregung. Kein Wunder. Er hatte sich so auf den Sex mit Sandi gefreut. Und dann musste er den beiden dabei zuschauen, wie sie miteinander schliefen. Er musste natürlich nicht. Aber er konnte sich auch nicht lösen. Was für eine schöne Frau. Ihre Bewegungen machten ihn einfach an, auch wenn sie auf einem anderen Mann saß. Noch ein bisschen zu Seite. Jetzt stand er an der Wand, an der der große Spiegel hing, in den er eben hineingesehen hatte. Der Mann war nicht mehr jung, er konnte einen Teil seines Kopfes sehen. Kahl eigentlich, aber die Stoppeln waren leicht angegraut. Er hob jetzt seine Arme und legte sie auf die Wangen der Frau. Langsam ließ er sie an ihrem Körper herabgleiten. Die Frau hob den Kopf und atmete tief durch. Dabei öffnete sie die Augen. In einem Spiegel, der an der Wand neben dem Bett hing, konnte er ihr erregtes Gesicht sehen. Das Haar hing ihr schweißnass über Augen und Nase.

Moses wurde klar, dass er nur aus dem Fenster nach vorn hätte rausblicken müssen. Dann hätte er wahrscheinlich zwei Autos gesehen und recht schnell gewusst, dass er nicht allein im Haus war. Anfängerfehler. Er war eben kein erfahrener Einbrecher. Gerade fragte er sich, ob er wieder verschwinden sollte, obwohl ihm so gut gefiel, was er sah. Noch ein Blick, sagte er sich. Die Bewegungen der Frau waren langsamer geworden, sie teilte das Haar vor ihrem Gesicht mit einer Hand und blickte glücklich nach vorn.

Das war der Moment, in dem sich ihre Blicke trafen. Moses fror kurz auf dem Dielenboden fest. Die Augen der Frau traten nach vorn. Sie machte eine endlose Phase der Transformation durch, in der Sehen und Verstehen, Einordnen und Vergewissern in sich greifende und hochkomplexe Vorgänge wurden. Der eben noch so lockere und schöne Körper wurde hart, und kurz bevor die Augen ihre Höhlen verließen, stieß sie einen hohen panischen Schrei aus.

Moses drehte sich um und rannte die Treppe hinunter.

37

«Wo willst du hin?», fragte Nozipho.

«In die Garage.»

«Warum?»

«Wenn ich mit der schon unter einem Dach sein muss, will ich auch wissen, wer sie ist», sagte Thembinkosi. «War», verbesserte er sich.

«Und wie?»

«Wir sehen sie uns an?» Thembinkosi öffnete die Tür zur Garage. Schaltete das trübe Licht an.

«Aber sie ist tot.»

«Klar ist sie tot.» Er hatte die Hand schon am Deckel der Gefriertruhe.

«Nein!»

«Doch!»

«Warum?»

«Weil wir Zeit haben. Und weil wir nicht wissen, wofür es gut sein kann.»

«Ich fasse die nicht an. Das bringt Unglück.»

«Wem?»

«Mach dich nicht lustig über mich.»

Thembinkosi hatte den Deckel der Truhe in der Hand. «Halt mal!» Nozipho schüttelte den Kopf.

Thembinkosi schloss die Truhe wieder. Schaute. Ging quer durch die Garage. Neben dem Tor stand ein Besen an der Wand. Kam mit dem Besen wieder. Öffnete die Truhe erneut und arretierte den Deckel mit dem Stiel.

«Hast du eigentlich wieder Ordnung gemacht im Schlafzimmer?», fragte er, als er sich in die Truhe beugte.

«Klar. Sieht aus wie vorher. Was denkst du denn? Den leeren Bügel hab ich in einer Schublade unter der Unterwäsche versteckt.» Thembinkosi dachte an die Hemden, die er in den Aktenkoffer gestopft hatte. Die Bügel hatte er einfach hängen lassen.

Er tastete die Tote ab. Hosentaschen. Kleingeld. Er fasste in die Tasche auf dem T-Shirt. Dachte an Totenstarre. Ein Begriff, den er aus Fernsehkrimis kannte. Zog dann ein Stück Plastik hervor.

«Und?», fragte Nozipho.

Er blickte auf die Plastikkarte. Health Care. Ein Name. «Celeste Rubin.» Eine Nummer dazu. «Vielleicht war sie noch beim Arzt am Morgen.»

«Und wenn ... Was machst du?»

Thembinkosi lag halb in der Truhe und versuchte, die Tote herumzudrehen. Er hatte seine Hände unter ihrem Körper und zog an dem Jeansstoff. Aber die Tote ließ sich nicht drehen.

«Hilf mir!»

«Nein», sagte Nozipho. «Wie?», fragte sie dann.

Thembinkosi stützte sich auf den Rand der Truhe. «Lass sie uns rausholen.»

«Was? Warum das denn?»

«Ich will wissen, was sie noch bei sich hat.» Er beugte sich in die Truhe hinein und griff die Füße der Toten mit beiden Händen. «Hilf mir!» Die Füße waren schon oberhalb des Truhenrands. «Mach schon!»

Nozipho fasste in die Kälte und hatte einen Arm der Toten in beiden Händen. Sie zog mit aller Kraft, die sie hatte, als der Stoff ihres Kleides riss. Sofort ließ sie den Arm los.

«Scheiße!», rief sie. «Siehst du, was passiert?»

Nur ein ganz kleiner Riss. Thembinkosi hatte Mühe, nicht zu lachen, und versuchte gleichzeitig, die Füße festzuhalten.

«Sieh dir das an!», sagte Nozipho. «Es ist kaputt.»

Der Riss war an der engsten Stelle. Noziphos schwarzer Slip war zu sehen, aber wenn sie ihre Handtasche geschickt trug, würde das niemand bemerken.

«Nur Weiße laufen so rum!», sagte sie und drehte sich weg. Thembinkosi spürte, dass sie den Tränen nahe war.

Nozipho war immer cool, planvoll. Sie hatten die Reichen und nicht ganz so Reichen seit vier Jahren zusammen bestohlen. Sie war immer in Form gewesen und hatte immer ihre Fassung bewahrt.

«Warte!», sagte er und zog gleichzeitig die Tote weiter aus der Truhe heraus. Nur noch die Schultern lagen auf dem Rand. Noch eine Anstrengung, ein Ziehen, und ihr Kopf schlug auf dem Garagenboden auf. Es hörte sich an wie Porzellan mit einem Sprung.

Nozipho schrie auf und fing wirklich an zu heulen.

Thembinkosi ließ die Beine der Toten los und nahm seine Frau in den Arm. «Komischer Tag!», sagte er.

«Scheißtag!», sagte sie. «Ich will diese Scheiß-Rollenspiele nicht mehr machen. Ich will einbrechen, wie ich es von dir gelernt habe, Sachen rausholen und wieder verschwinden. Heimlich, so wie es sich gehört.»

«Hmhm. Vielleicht müssen wir unsere Strategie ja wieder ändern.»

Sie küssten sich. Dann blickten sie in die Tiefkühltruhe. Spinat. Pizza. Garnelen in transparenten Plastikboxen. Fleisch in allen Sortierungen. Sie blickten sich an. Nozipho fing als Erste an zu lachen. «Leiche auf Spinat!», sagte sie und trocknete ihre Tränen.

«Die Weißen sind Kannibalen!», sagte Thembinkosi. Prustete. Sie umarmten sich wieder. Küssten sich auch.

«Ich liebe dich», sagte Thembinkosi.

«Ja, ich liebe dich auch», sagte Nozipho.

Umarmt blieben sie ein paar Sekunden stehen. «Wir müssen hier raus!», sagte Nozipho.

«Du hast recht! Aber ich will jetzt sehen, was die noch dabeihat.»

Thembinkosi bückte sich und sah sich die Tote zum ersten Mal genau an. Blaue Flecken im Gesicht. Sie war geschlagen worden. Oder waren das schon die Folgen der Tiefkühlung? Eine Wunde zwischen den Haaren. Sie war gar nicht so alt. Schwierig sowieso, das mit dem Alter. Aber Ma Jordan, die neben seiner Schwester wohnte, war 65 und deutlich älter als die Frau, die vor ihm lag. Und 65 konnte die hier jetzt nicht mehr werden. Das Haar war grau, das Gesicht irgendwie ... Er fand einen Ausdruck der Überraschung darauf, wollte den Gedanken aber nicht teilen. Das bunte T-Shirt und die Jeans-Shorts sagten Freizeit, die Füße waren nackt. Thembinkosi drehte die Leiche herum. Griff in die Tasche auf dem Arsch und zog einen Personalausweis hervor. «Celeste Rubin», sagte er noch einmal. «Sie ist 57.» Das Foto war ein paar Jahre alt.

Thembinkosi tastete die andere Tasche ab. Leer. «Lass sie uns wieder reinlegen.»

«Ich kann nicht», sagte Nozipho. «Dann reißt das Kleid noch mehr.»

«Stimmt.» Er drehte Celeste wieder auf den Rücken. Dann griff er mit beiden Armen unter sie und erhob sich langsam. So ein Mensch ist schwer, dachte er sich. Und dieser Mensch ist auch schon ganz schön kalt. Viel kälter als eben noch. Er hielt die Leiche über die Öffnung der Truhe und ließ sie fallen. Die gefrorenen Boxen klackerten gegeneinander.

Thembinkosi schloss die Truhe wieder. «Oder wolltest du noch die Garnelen mitnehmen? Die isst du doch so gern.»

«Aber nicht aus der Tiefkühlung. Idiot!», sagte Nozipho. Sie hielt die Tür offen, die von der Garage in das Haus führte.

38

Moses sprang die letzten Stufen in die Lounge hinab. Auf einem Läufer, der im Weg lag, rutschte er aus. Rappelte sich schnell auf, als er im ersten Stock schon Schritte hörte. Auch die Stimmen der beiden, aber er verstand kein Wort. Die Terrassentür musste er nur zur Seite schieben. Raus und in die Richtung, aus der er eben gekommen war. Nur nicht noch weiter weg vom Ausgang.

Hecken und Mauern, schnell drüber hinweg. Der andere würde ihm nicht nachlaufen. Moses hatte ja gesehen, in welchem Zustand er gewesen war. Um diesen Winkel herum in der Außenmauer und immer weiter. Noch ein Sprung, sicher aufkommen, weiterlaufen. Auf einmal stand der Mann im Rugby-Shirt vor ihm. Er war nicht fit und nicht schnell, jedenfalls sah er nicht so aus. Aber er stand im Weg. Moses rannte ihn über den Haufen. Und war gefangen. Der Sharks-Mann hielt ihn fest. Er hatte beide Beine mit seinen Armen umschlungen.

«Wir wissen, was du gemacht hast!», rief er.

Moses strampelte, aber vergebens. Der andere Mann hatte starke Arme.

«Du kommst hier nicht mehr weg!», sagte der Rugbymann, während ihm der Atem kürzer wurde. Aber das Strampeln half noch nicht. Moses schlug dem Mann gegen den Kopf. Erst mit der Hand, dann mit der Faust. Der Mann nahm eine Hand zum Kopf, um ihn zu schützen, griff dafür umso stärker mit der anderen um die Beine. Immer noch lag Moses halb auf ihm. Stärker strampeln, den Griff brechen. Langsam hatte er mehr Platz. Eine Sekunde reichte Moses. Er streckte das rechte Bein und winkelte es dann ruckartig an. Es landete mitten im Gesicht vom Rugbymann.

Der schrie vor Schmerz auf.

Dann war da eine andere Stimme. «Hilfe!», rief eine Frau. «Er bringt ihn um! Hiiilfe!» Moses hatte sich schon losgemacht, als ihm die Frau, die aus dem Haus gekommen sein musste, einen Plastikstuhl ins Kreuz schlug. Weiterrennen, sagte er sich.

Aber er blieb stehen und wehrte den nächsten Schlag ab. Holte aus und gab der Frau eine starke Ohrfeige. Er hörte in der Körperdrehung mehr, als er es sah, dass ihre Brille irgendwo aufschlug. Als Moses zum nächsten Sprung ansetzte, hatte die Frau zu weinen angefangen.

39

«Die stehen immer noch da», sagte Thembinkosi.

«Immer wieder andere», sagte Nozipho. «Die betreiben ganz schönen Aufwand. Wie viele mögen das sein?»

«Mittlerweile? Hab vielleicht schon fünfzehn von denen gesehen. Oder mehr.»

«Und dann gibt es sicher noch die, die du nicht gesehen hast. Scheiße.»

«Aber warum stehen die ausgerechnet hier?»

«Hab ich mich eben auch gefragt», sagte Nozipho. Draußen versammelte der ältere Weiße ein paar Leute in Uniform um sich herum. Er delegierte. «Ich glaube, dass das hier die zentrale Straße in der Gated Community ist.»

«Ich würde mich am Ausgang hinstellen.»

«Da wartet bestimmt auch eine Delegation.»

«Und du meinst, weil das hier die zentrale Straße ist, bleiben die auch hier?»

«Hast du einen anderen Eindruck?»

«Scheiße», sagte Thembinkosi. «Dann ist es umso wichtiger, dass wir das mit den Kleidern gemacht haben.»

«Wie sollen wir denn vorgehen? Einfach raus?»

«Einfach raus.»

«Jetzt?»

«Hmhm.»

«Und wenn es schiefgeht?»

«Was soll schiefgehen?»

Nozipho musste eine Sekunde überlegen. «Na ja ... Wenn sich einer der Security-Leute hier auskennt und weiß, dass wir gar nicht hier wohnen?»

«Na und? Wir können hier zu Besuch sein.»

«Aber was, wenn der genau weiß, dass diese Leute hier ...» Nozipho machte eine Pause. «Guck sie dir doch an. Die haben doch keine schwarzen Freunde!»

«Und wenn. Dann sind wir eben Geschäftspartner.»

«Und was für Geschäfte würden die wohl machen?»

Thembinkosi überlegte einen Moment lang. «Wir können ein Auto von denen kaufen.»

«Stimmt», sagte Nozipho. «Das könnten wir tatsächlich. So könnte es klappen.»

«Wir müssen das ja sowieso nicht begründen. Wir sind einfach zwei Leute, die hier aus dem Haus rausgehen und dann woandershin. Also zum Ausgang zum Beispiel.»

«Wenn wir aber ein Auto von denen gekauft haben ... Warum gehen wir dann zu Fuß?»

40

Gerrit van Lange stand auf dieser Straße mitten in der Gated Community und dachte, dass er langsam zu alt wurde für solche Situationen. Nicht, weil er sie nicht mehr meisterte. Er war ein Routinier, erfahren in den Schlachten für körperliche Sicherheit und unbeschädigtes Eigentum. Er hatte diese Geschichten nur schon viel zu oft erlebt. Aber was sollte er tun? Für den Ruhestand war er noch ein paar Jahre zu jung. Und er hatte ja nichts anderes gelernt als den Job, den er machte. Sicherheit. Wenn man eine Security-Firma leitete, konnte man nicht einfach umschulen.

Sein Telefon klingelte.

«Was gibt's?»

Van Lange hörte zu und sagte ab und zu «Ja!». Seinen Leuten gegenüber, die ihn ansahen, verdrehte er die Augen. Dann blies er Luft durch die Lippen, sagte noch einmal «Ja!», und schließlich, als er das Gespräch beendet hatte, setzte er noch «Uiuiuiuiui!» hinzu.

Er ging zu seinem Wagen und nahm das Funkgerät in die Hand. Öffnete es: «Alle zuhören. Der Gesuchte ist weiter auf der Flucht. Er ist ungefähr 20 Jahre alt. Jeans und gelbes T-Shirt. Auffälliger Afro.» Van Lange machte eine Pause. Nach dieser Geschichte musste er seine Leute anweisen, für ein paar Wochen ein bisschen härter zuzupacken. Bis er wieder ein paar Anrufe bekam von Leuten, die sich über Grobheiten beschwerten. Oder darüber, dass irgendwelche Freunde und Verwandte belästigt oder nach dem Ausweis gefragt worden waren. Scheiß drauf! «Wir wissen nicht», sagte er weiter, «wie lange er schon hier unterwegs ist, aber was wir wissen, ist Folgendes: Er hat bei einem Einbruch Schmuck und Bargeld erbeutet. Von erheblichem Wert. Dann hat er versucht, eine Frau zu vergewaltigen.» Van Lange musste eine Weile überlegen, aber warum sollte er es verschweigen? «Eine weiße Frau», sagte er. «Und dann hat er auch noch ein älteres Ehepaar brutal niedergeschlagen.»

Er schloss das Funkgerät kurz und dachte nach. Eigentlich sollte er die Polizei rufen. Gründe dafür gab es genug. Aber er hatte es schon oft genug erlebt, dass die Aufmerksamkeit seiner Leute nachgelassen hatte, sobald sie wussten, dass die Cops unterwegs waren. Und bei denen wusste man ja sowieso nie, ob sie tatsächlich kamen.

Dann sprach er weiter. «Wir werden jetzt alles tun, um den Kriminellen zu finden und zu überwältigen. Und ... wenn ihr Gewalt anwenden müsst ... tut es in Gottes Namen.»

41

Moses spürte den Schmerz im Rücken. Die Frau hatte mit aller Kraft zugeschlagen. Er hatte doch keinem von beiden etwas getan. Vielleicht kannten sie die weiße Frau, in deren Haus er gewesen war. Hatte sie angerufen? Unsinn. Die Schreie gehört? Die Distanz war zu groß. Jetzt musste er auf jeden Fall weg von der Außenmauer. Denn hier gab es immer nur einen einzigen Ausweg. Den, der von der Mauer weg führte. Noch ein Sprung, und er würde wieder auf der Straße laufen. Das war einfacher und ging schneller.

Eine niedrige Hecke, abbremsen, die Kurve nach rechts nehmen und zwischen Haus und einer halbhohen Mauer hindurch.

Von der anderen Seite kam ihm eine Uniformierte entgegen. Scheiße. Er stoppte abrupt und lief zurück, die Frau rief etwas. Er nahm den nächsten Durchgang. Schlechte Entscheidung. Da stand ein breiter Mann und grinste ihn an. Hätte er es doch mit der Frau aufgenommen. Obwohl ... Da konnte man heute auch nicht mehr sicher sein. Stehen bleiben konnte er nicht mehr. Er lief weiter und sprang den Mann an. Ausgestrecktes Bein in den Unterleib. Der Typ brach zusammen und blieb liegen. Moses rannte weiter. Endlich auf der Straße. Nach links und weiterlaufen. Nur nicht stehen bleiben. Kurzer Blick zurück. Da waren Leute. Weit weg.

Laufen.

Wie er schwitzte.

Hatten diese Security-Leute eigentlich Schusswaffen? Laufen, dachte Moses. Nur laufen.

42

«Sollen wir?», fragte Nozipho. Sie zog das Kleid glatt und drehte sich vor Thembinkosi. Handtasche geschultert. Kurz roch sie unter ihrer Achsel. Verzog die Nase.

«Ja ... obwohl ... warte ...»

«Was ist?»

«Warte doch», sagte er noch einmal. Und dann: «Komm!»

«Was?»

«Komm schon!»

Nozipho ging zum Fenster. Draußen stand ein dritter Wagen, verdeckt von einem Teil der Mauer zur Straße hin. Ein alter Kombi. Eine Tür ging auf. Ein Mann stieg aus. «So eine Scheiße!», sagte sie. «Was machen wir jetzt?»

«Sind sie das? Gerade angekommen.»

«Woher soll ich das wissen? Du hast sie dir angesehen.»

«Hab ich nicht.»

Zwei Männer standen draußen bei dem Weißen ohne Uniform. Lockig der eine und kahl der andere, Jeansträger beide. Der in Uniform erzählte ein paar Sachen, gestikulierte.

Die Männer nickten. Einer zeigte auf das Haus, in dem sie sich gerade versteckt hielten. Da können wir doch rein, oder?

Der ohne Haare schaute den anderen an und zeigte auf die Garage.

Thembinkosi griff Noziphos Hand und den Aktenkoffer. Er zog sie in das kleinere der beiden Schlafzimmer. Öffnete eine Tür des Kleiderschranks, in den er vor langer Zeit hineingeschaut hatte. Stieß sie hinein, schloss die Tür hinter ihr. Verschwand dann hinter der Nebentür.

Beide hörten das Quietschen eines ungeölten Garagentors. Auf. Motorgeräusch. Dann zu.

43

Verrückt, dachte Moses, als er die Straße hinunterlief. Erst der Referee und der andere Weiße. Und dann diese Security-Leute. Sie wurden immer mehr. Dabei hatte er nur einen alten Wagen, der nicht mehr fuhr, und brauchte Hilfe. Jetzt hatte er schon drei Leute niedergeschlagen. Und zwei beim Sex gestört. Was wog eigentlich schwerer?

Und was wäre geschehen, wenn er sich vom Referee einfach hätte ...

Kreischende Reifen. Von vorn schon wieder ein silberblauer Wagen. Ein Bakkie, der schnell auf ihn zugefahren kam. Moses schaute sich um. Er war wieder in Bungalow-Land. Einstöckig. Näher am Ausgang also. Gut.

Aber das Auto kam auf ihn zu. Sehr schlecht.

Er beschloss, erst einmal stehen zu bleiben. Der Wagen kam schnell näher. Rechts neben ihm ein Anstandsmäuerchen von ein paar Zentimetern und dahinter ein schön manikürter Rasen. Links Wildwuchs und Autoteile vor der Haustür. Nichts zum Verstecken auf beiden Seiten.

Der Bakkie verringerte sein Tempo nicht. Im Gegenteil.

Der Bakkie war noch 40 Meter entfernt. Moses brachte den Körper in Spannung. 20 Meter. Immer noch nicht langsamer.

Der Bakkie hatte ihn fast erreicht. Drei.

Zwei. Eins.

Moses sprang nach rechts zur Seite und rollte sich ab. Der Wagen bremste hart.

Moses schlug mit der Schulter auf irgendetwas auf. Fand die Füße. Rannte über den perfekten Rasen. Sah irgendeine Bewegung im Haus, hatte keine Zeit, sich darauf zu konzentrieren. Hörte den Bakkie im Rückwärtsgang. Zwischen mehreren Terrassen und Hintereingängen. Erst einmal stehen bleiben. Richtig atmen. Sein Herz schlug im Akkord.

«Er ist hier!» Eine Frauenstimme. Hinter ihm. In dem Haus mit dem Superrasen? Keine Zeit zum Umschauen.

Vor ihm eine Reihe Bungalows. Dahinter wieder Straße.

Dreck. Vor ihm auch der Referee. Gerade einen Fetzen von dem Blau seines T-Shirts gesehen.

Der Referee hatte ihn auch gesehen. Kam auf ihn zu. Eine Sekunde noch ausharren. Ihn locken. Von der Straße weg. Dann zurück.

Moses nahm den nächsten Korridor. Der Bungalow war jetzt rechts von ihm. In Stufen ansteigende Mauer links. Wenn er dem Referee genug Zeit gegeben hatte, würde er nicht umdrehen, sondern hinter ihm herlaufen.

Das war die nächste Straße. Ein Stück weit nach links

stand eine Nanny mit einem weißen Kleinkind. Ob Junge oder Mädchen, konnte Moses nicht erkennen.

Die Nanny schüttelte den Kopf. Nicht in ihre Richtung? Meinte sie das? Die andere Richtung schien leer.

Aus der Richtung, in der Nanny und Kind standen, kam eine Stimme. «Ist er da?»

Moses überquerte die Straße. Sprang mit dem Kopf zuerst über eine kniehohe Mauer und landete auf einem Müllsack. Er blieb am Boden liegen und wartete darauf, dass irgendetwas geschah.

44

Die Tür zur Garage fiel zu.

«Hab ich es dir nicht gesagt?» Eine hohe männliche Stimme. Keine Antwort auf die Frage.

«Du wärst fast panisch geworden.» Dieselbe Stimme. Pissen in die Kloschüssel. Dann die Spülung.

«Weißt du, was?» Wieder die hohe Stimme. «Schon komisch, wie lange sich so ein Parfum in der Luft hält. Ich meine ... Gwen ist schon ... wie lange auf Fortbildung? Fünf Tage. Und trotzdem ist dieses Parfum immer noch irgendwie hier. Ich kann sie wirklich riechen. Schon komisch!»

Stiefelschritte im Haus. «Ich hab ihr das zum Geburtstag geschenkt, weißt du? Die Verkäuferin hat mich so angesehen, als ich sie gefragt hab. So ... du weißt schon. Und dann hab ich ihr noch so einen superscharfen Slip geschenkt. Verboten. Wirklich verboten. Du weißt schon.»

Thembinkosi wurde ganz heiß. Hoffentlich wollte hohe

Stimme dem anderen jetzt nicht den Slip zeigen. Ob er das überhaupt war? Der in der Jackentasche? Und hatte Nozipho das Schlafzimmer wirklich wieder aufgeräumt?

«Was machen wir eigentlich jetzt?» Noch mal hohe Stimme.

«Kannst du mal für eine Sekunde ruhig sein?» Deutlich tiefer, anders. Jemand, der nicht viele Worte machte.

«Ja, klar!» Hohe Stimme. «Du weißt, dass ich meine Klappe halten kann. Aber schon der Hammer mit den Security-Leuten draußen. Ich meine ...»

«Sei still!»

«Okay. Okay.»

Schritte. Die Stiefel und andere Schuhe. Trug hohe Stimme weiche Sohlen? Leises Quietschen auf dem Boden. Was für eine Art Boden war das überhaupt? Egal. Fliesen, dachte Thembinkosi, klar. Im Schrank war es noch heißer als draußen. Er wollte sich den Schweiß aus dem Gesicht wischen. Aber dafür war es zu eng.

Er kratzte ganz vorsichtig mit dem Zeigefinger an der Schrankwand, die ihn von Nozipho trennte. Von der anderen Seite kam umgehend die Antwort.

«Was machen wir denn jetzt?» Hohe Stimme. «Wir können ja jetzt nicht einfach raus mit ihr.»

«Nein, können wir nicht!»

45

Moses kauerte hinter der Mauer. Halb auf der Mülltüte drauf, halb daneben. Ein toter Vogel neben seinem Kopf. Dunkel mit einem Schuss Rot. Ameisen hatten schon begonnen, eine Straße zu bauen, um ihn auszuweiden. Erst einmal liegen bleiben, dachte er. Hatte die Nanny ihn gewarnt? Schwarze Solidarität?

Vielleicht war es das. Hier mussten doch ein paar schwarze Familien wohnen. Irgendwo musste er Hilfe kriegen. Er erinnerte sich an die Kaizer-Chiefs-Fahne in dem Fenster. War das alles lange her. Er sah auf die Uhr. Vierzehn Uhr und sechs Minuten.

«Ist er hier?», hörte Moses eine Stimme. Das war der Weiße mit dem Stock.

«Nein, Boss!» Die Nanny.

«Wenn du ihn siehst ... Gib Alarm!»

«Ja, Boss!» Sie half ihm tatsächlich. Gute Frau. Ein Motor. Bremse.

«Hier ist er nicht.» Der Weiße. Direkt vor ihm auf der Straße.

«Er hat versucht, eine Frau zu vergewaltigen!» Was?

Eine schwarze Stimme. Ein Mann. «Hat dann eine Reihe Leute verletzt. Der ist gefährlich! Und das Haus von einem alten Mann ausgeraubt.»

Moses hörte, wie der Weiße den Stock in die Hand schlug. «Wegen mir kann der kommen!» Der Wagen fuhr weiter.

Meinten die wirklich ihn, fragte sich Moses.

Einige Sekunden lang geschah nichts. Dann ein Schatten über ihm. Der Weiße setzte sich auf die Mauer. Sein Arsch war jetzt genau über ihm. Keine zehn Zentimeter entfernt.

Moses hörte ein Feuerzeug. Der Weiße rauchte. Er wollte auch rauchen.

«Oh», sagte die Nanny. Seltsam gespielter Ton. «Jetzt ist der Ball weg.» Kurze Pause.

«Wer soll denn jetzt den Ball holen?»

Der Schatten über ihm verzog sich. Ein Ball wurde gekickt.

«Guck mal», sagte sie dann. «Das ist aber ein netter Mann.» Was für eine kluge Frau, dachte Moses und atmete tief durch.

46

Flapp. Das war wieder die Tür zur Garage. Keine Schritte mehr zu hören und keine Stimmen.

Thembinkosi öffnete die Schranktür und atmete freier.

Er zog die andere Tür auf und sah Nozipho in die Augen. «Ich will hier raus», sagte sie.

«Ich auch. Aber wir können jetzt nicht.»

«Aber wie lange wollen wir warten?»

«Bis es für uns sicher ist.»

«Vielleicht sollten wir uns einen anderen Beruf suchen.»

«Vielleicht. Wenn sie die Leiche nicht wegschaffen können ... fahren sie vielleicht wieder.»

«Zu viele Vielleichts!»

«Möglicherweise.»

«Entschuldige das mit dem Parfum. Das war gewagt.»

«Ist ja gutgegangen.»

«Hmhm ... gerade so», sagte Nozipho. «Jetzt sind wir doppelt gefangen. Einmal wegen den Security-Leuten. Und dann wegen den beiden hier im Haus.»

«Wir brauchen nur ein bisschen Geduld. Okay? Die werden wieder verschwinden.»

Die Tür zur Garage wurde wieder geöffnet. «Bist du sicher», fragte tiefe Stimme, «dass sie einen Personalausweis bei sich hatte?»

Thembinkosi verdrehte die Augen. Zeigte auf seine Hosentasche. Da war der Personalausweis von Celeste Rubin. Er kletterte wieder in den Schrank.

«Klar.» Hohe Stimme. «Wo ist der Koffer noch mal?»

«Ich muss pinkeln», hörte er Nozipho noch leise sagen. Dann waren die Schritte schon im Zimmer.

47

Willie schlug den Stock in seine linke Hand. Er wusste, dass er das zu oft tat. Eine Angewohnheit. Deshalb hatte sich dort auch schon eine dünne Hornhaut gebildet. Aber wenn er breitbeinig vor einem jungen Schwarzen stand, beeindruckte den das schon. So viel war klar.

Wie gut die Reichen es hatten, dachte er, als er sich auf die kleine Mauer setzte. Diese großen Häuser hier mit dem gepflegten Rasen. Wenn er die mit seinem kleinen Haus in Stoney Drift verglich ... Gerecht war das nicht. Seit Jahren schon hatte er keinen Cent mehr übrig gehabt, um ihn da reinzustecken. Aber wer tat das schon dort in dem heruntergekommenen Viertel? Außer den paar Coloureds, die in den letzten Jahren mehr und mehr in die Siedlung gezogen waren?

Selbst an den Zigaretten hatte er sparen müssen, dachte

Willie, als er sich eine Chesterfield anzündete. Die Nanny spielte Ball mit dem kleinen Jungen. Sah das lächerlich aus. Sie trat nach dem Ding und kickte es weit weg. Viel zu weit für den kleinen Jungen. Da hatten es die Reichen auch gut. Immer war jemand für die Kinder da. Obwohl ... Er hätte seine Kinder nie einer Schwarzen anvertraut. Jetzt waren sie sowieso bei Janice, der Kuh.

«Oh, jetzt ist der Ball weg!», sagte die blöde Nanny. «Wer soll denn jetzt den Ball holen?», fragte sie aufreizend. So fett, wie sie war, dauerte es wahrscheinlich Jahre, wenn sie das selbst tat. Der kleine Junge guckte in die Luft. Willie inhalierte noch einmal tief und stand dann auf. Sowieso Zeit, den Bastard zu finden. Er hielt den Rauch so lange ein, bis er den Ball erreicht hatte, und atmete dann lange aus. Den Ball kickte er ganz vorsichtig zu dem Jungen, der ihn anlachte.

«Guck mal», sagte die Nanny und hob die Hände. «Das ist aber ein netter Mann!»

Nichts zu sehen von dem Kerl. Willie drehte sich ein paarmal um seine eigene Achse und ging dann die Straße hoch. Sie würden ihn schon kriegen, klar. Denn raus kam er hier so einfach nicht. Am Ausgang warteten schon ein paar Central-Alert-Leute auf ihn. Und über die Mauer kam er sowieso nie rüber.

48

Jemand ging durch das Zimmer. Thembinkosi hörte, wie ein Reißverschluss geöffnet wurde. Rumwühlen. Wieder einpacken.

«Und?» Tiefe Stimme musste in der Tür stehen.

«Nichts.» Hohe Stimme.

«Wann hast du den Ausweis denn gesehen?»

«Als du sie ins Gesicht geschlagen hast. Also ... nicht beim ersten Mal. Später irgendwann. Da ist sie doch im Flur auf den Boden gefallen. Dann hast du sie in die Seite getreten und auf sie gespuckt. Und da hab ich den Ausweis in ihrer Jeanstasche gesehen. Hinten. Der schaute raus. So ein bisschen.»

«Und dann? Was ist dann passiert?»

«Dann hast du sie umgedreht und sie weiter geschlagen.»

Ein paar Sekunden sagte keiner von beiden etwas, dann war wieder hohe Stimme zu hören.

«Weil sie ja nicht reden wollte.»

Wieder eine Pause. Wieder hohe Stimme. «Und dann hab ich den Ausweis nicht mehr gesehen.»

«Also ist er entweder immer noch an ihrem Körper. Oder er ist ihr aus der Tasche gefallen.» Tiefe Stimme. «Lass sie uns noch mal durchsuchen. Ich will nicht, dass das Ding gefunden wird. Weder hier im Haus noch da, wo wir sie hinbringen.»

Schritte. Zimmertür zu. Garagentür ebenfalls. Thembinkosi öffnete den Schrank zur gleichen Zeit wie Nozipho.

49

Die Stiefel von dem Weißen waren noch ein paar Sekunden lang zu hören. Dann robbte Moses langsam um das Haus herum. Kurz hatte er noch daran gedacht, der Nanny zu danken. Mit einem Winken. Einem Nicken. Aber er wollte sie nicht auch noch in Gefahr bringen. Sie verstand ohnehin. Hinter dem Haus kroch er an eine weitere Mauer heran, die bis zu einer Hecke in Stufen niedriger wurde. Er lugte durch die Hecke auf das nächste Grundstück, als ihm einfiel, dass er gar keine Zeit gehabt hatte, sich zu vergewissern, dass er nicht aus dem Haus heraus beobachtet wurde, dem er gerade am nächsten war.

Moses hob den Kopf und merkte dann, dass das nicht reichte, um einen Überblick zu bekommen. Er bewegte sich ein paar Züge rückwärts und setzte sich mit dem Rücken an die Mauer. Atmete langsamer. Tiefer. Und merkte, wie müde er war. Und wie hungrig. Kaffee und Brot zum Frühstück, dann nichts mehr. Dann der Umzug mit Prof Brinsley. Und dann das hier.

Keine Ahnung, wo innerhalb von «The Pines» er gerade war. Die letzte Flucht, vor dem Referee, den Uniformierten, dem Security-Wagen und dem Weißen ... Scheiße, dachte er, wer auch immer in dem Security-Auto gesessen hatte ... das war der Versuch gewesen, ihn umzubringen.

Warum?

Er brauchte eine Zeit, um sich zu erinnern. Vergewaltigung. Das Wort war gefallen, als jemand in diesem Wagen gehalten hatte, um mit dem Weißen zu reden. War das derselbe Wagen gewesen, der versucht hatte, ihn zu überfahren?

Und die Vergewaltigung? Da musste noch jemand in der Gated Community unterwegs sein. Die konnten nicht ihn meinen.

Die Bewegung oberhalb seines Blickfeldes war nur marginal. Moses hob seinen Kopf und sah in die neugierigen Augen eines kleinen Mädchens. Sie war drei oder vier Jahre alt, blond mit Zöpfen zu beiden Seiten. Im Schein der Sonne sah sie hinter der Fensterscheibe aus wie eine Figur aus einem Kinderbuch. Sie winkte ihm. Er winkte zurück.

Sie dachte nicht «Mama, da kriecht ein schwarzer Mann im Garten herum», wenn ein schwarzer Mann im Garten herumkroch. Aber was dachte sie denn? Er musste hier weg. Wo ein kleines Kind war, waren immer auch Erwachsene in der Nähe. Und die würden sich auf jeden Fall fragen, warum zum Teufel ein schwarzer Mann im Garten herumkroch.

Wenn er nur irgendwie herausfinden konnte, wo genau er war. Und wo war Sandi?

50

«Sind wir auf Sendung? Skype ist schon großartig. Hallo? Ah ... jetzt! Hallo? Also ... Ich fange das jetzt mal an. Weil ich Sie ja beide kenne. Inspector Pokwana in Beacon Bay und Warren Kramer in ... ach ja, ihr sitzt auch in Beacon Bay, eigentlich seid ihr Nachbarn. Fast. Also Inspector Pokwana ist der Verbindungsoffizier der Polizei zur Neighbourhood Community Watch in Dorchester Heights. Hallo ...»

«Hallo!»

«Und Warren ist für die Sicherheit in den Gated Communities zuständig bei Meyer Investment. Hi, Warren.»

«Stevie, hi.»

«Das sind sechs, Warren. Oder? Gated Communities. Ist das warm heute ...»

«Ganz genau. Sechs. Ja, hier in der Firma ist es unerträglich.»

«Okay. Also, wir wissen alle, was geschehen ist. Ein gefährliches Individuum ist in ‹The Pines› unterwegs. Junger Mann. Hat bei einem Einbruch zahlreiche Wertsachen erbeutet. Hat versucht, eine, äh, Frau zu vergewaltigen. Hat dann einen unserer Kollegen verletzt. Auf dem Weg ins Krankenhaus mit einer Hodenquetschung, wie ich höre. Dad ist vor Ort und hat das alles unter Kontrolle. Aber wir haben den Kerl noch nicht.»

«Foto hab ich eben rumgeschickt. Ausschnitt vom CCTV-Material. Ist das angekommen?»

«Hm!»

«Ja.»

«Bekannt?»

«Nie gesehen», sagte Pokwana.

«Ich auch nicht.» Stevie van Lange machte eine Pause. «Wir haben eine ganze Menge Leute in ‹The Pines›, und ich denke, wir werden den bald haben. Aber so wie ich den einschätze, also ... wenn er sich wehrt, dann kann es durchaus gefährlich werden. Und wir wissen ja nicht, ob er bewaffnet ist. Und da haben wir uns gedacht, Idee von Dad, wir könnten vielleicht den Zugang vorübergehend sperren.»

«Kommt gar nicht in Frage», sagte Pokwana. «Viel zu groß, die Anlage. Wie wollen Sie das managen? Da wohnen viel zu viele Leute.»

«Ich dachte, wir könnten einander dabei ergänzen. Die Leute kommen ja bald von der Arbeit.»

«Wir schicken gerade den dritten Wagen dahin. Mehr

geht wirklich nicht. Und wenn er tatsächlich so gefährlich ist, dann werden meine Leute ja drinnen eher gebraucht als am Tor. Außerdem ist es ja rechtlich auch schwierig. Wir können nicht Leute, die einen halben Kilometer von dort entfernt sind, wo wir den Straftäter suchen, daran hindern, zu sich nach Hause zu fahren.»

«Wissen wir denn, wo er ist?», fragte van Lange.

«Kann man das den Leuten nicht einfach nahelegen?» Kramer.

«Was?» Pokwana.

«So lange draußen zu warten, bis wir ihn haben.»

«Hmhm. Kann man.» Pokwana. «Kann man versuchen.»

«Also stellen wir je ein paar Leute an den Eingang und ... was?» Das war van Lange. «Bleibt lieber draußen, sonst ... Ach, ich glaube, ich fahre gleich einfach selbst hin. Wie spät ist es jetzt? Zehn nach zwei. Ich bin in einer Viertelstunde da. Warren, was ist mit dir?»

«Ich bin auch gleich da.»

«Und Sie, Inspector Pokwana?»

«Ich rede erst noch mit meinen Leuten. Ich meine ... ein einzelner Kerl. Das kann doch nicht so schwer sein.»

51

«Was haben die mit der gemacht?» Nozipho schüttelte den Kopf.

«Ja, und vor allem warum?»

«Sie haben sie geschlagen und getreten. Stell dir das vor. Und bespuckt haben sie sie auch.»

«Hmhm … Vor allem haben sie sie umgebracht!»

«Schweine.»

«Hm … Wir könnten versuchen rauszukommen.»

«Aber wenn wir die Tür hier öffnen und die zur gleichen Zeit die von der Garage, dann sind wir tot.»

«Ja. Dann schlagen sie uns und treten uns, und bespucken werden sie uns auch.»

«Was machen wir dann? Ich muss immer noch pinkeln.»

«Ich weiß es nicht.»

«Wir könnten um Hilfe rufen. Aus dem Fenster.»

«Aber die Security-Typen haben eben die Weißen ins Haus gehen sehen. Wenn wir um Hilfe rufen, schießen sie auf uns.»

«Du übertreibst.»

«Vielleicht.»

«Aber das ist eine Scheißsituation.»

«Auf jeden Fall eine Scheißsituation.»

Die Garagentür wurde geöffnet. Thembinkosi und Nozipho verschwanden wieder im Schrank.

52

Moses durchbrach die Hecke mit den Schultern. Sein T-Shirt riss dabei an der Seite. Er krabbelte auf allen vieren in den Schatten des nächsten Hauses. Keine Zeit, sich weiter umzusehen. Hinter dem Haus eine weitere Straße. Sie würden jetzt überall patrouillieren, er konnte nicht mehr lange draußen bleiben. Er konnte überhaupt nirgendwo mehr lange bleiben. Ums Haus herum. Das wievielte Haus war das jetzt, um das er herumschleichen musste, fragte er sich.

Auf dem Bauch an die nächste Mauer. Fast schulterhoch. Langsam erhob er sich, um drüberzublicken. Erst nach vorn, dann nach hinten. Gefahrenabwägung. Scheitel, Stirn, Augen. Häuser auf der anderen Straßenseite, was auch sonst. Ein Security-Auto fuhr vorüber. Nichts Besonderes.

Umblicken. Vorhänge zugezogen. Leeres Haus. Mutmaßlich.

Noch ein Security-Auto auf der anderen Seite der Mauer. Oder dasselbe. Wieder ein Polo. Er hatte Polos gesehen, sicher mehr als einen, und den Bakkie, der versucht hatte, ihn zu überfahren. Ein anderes Auto passierte, dann noch eins. Moses suchte Anzeichen von Leben in den Häusern gegenüber. Fand keins. Immer noch Bürozeit. Die Leute waren auf der Arbeit. Und niemand beobachtete ihn von dort.

War er hier schon gewesen? Die Straßen sahen alle gleich aus. Gegenüber einstöckige Häuser, und wenn er den Blick nach rechts richtete, konnte er die mit den zwei Etagen sehen. Was wäre geschehen, wenn er sich den beiden Weißen ergeben hätte? Ganz am Anfang ...

Sie hätten die Polizei gerufen und ihn verprügelt.

Nein. Sie hätten ihn verprügelt und dann die Polizei gerufen. Er hat sich gewehrt. Wir hatten keine Wahl, hätten sie behauptet.

In der Station hätten ihn die Polizisten noch einmal verprügelt. Einer von ihnen hätte ihn vielleicht vergewaltigt. Oder ein Häftling in einer Zelle hätte das erledigt. Oder mehrere von denen. Und die Polizisten hätten dabei zugesehen.

Dann hätten sie ihn bis zum nächsten Morgen liegen lassen und mit einem Tritt in den Arsch freigelassen.

Es war richtig gewesen, zu laufen.

53

Mrs. Viljoen ging zum Telefon. Je älter sie wurde, desto länger brauchte sie für den Weg zur Kommode im Flur. Sie musste die Leute endlich dazu bringen, auf dem Mobiltelefon anzurufen. Aber das war natürlich teurer.

«Ja?»

«Hast du gehört?» Rose war total aufgeregt.

«Was?»

«George ist ausgeraubt worden.»

«Was?»

«Am helllichten Tag!»

«Wirklich?»

«Alles weg!»

«Tatsächlich?»

«Ein Schwarzer!»

«Hng!»

«Ein junger Schwarzer! Und alles ist weg. Der Schmuck. Du weißt doch, wie sehr er daran gehangen hat. Die ganzen Erinnerungen an Margaret. Er leidet schrecklich. Denk mal. Du hast das alles nicht gesehen? Die Security-Leute? So viele von denen. Du musst nur aus dem Fenster gucken. Sie sagen, dass sie den kriegen. Der ist sogar bei mir im Garten gewesen. Denk mal. Es hätte auch mich treffen können. Die kennen keine Grenzen. Meine Schwester sagt ja immer, dass es falsch gewesen ist, die Todesstrafe abzuschaffen. Denk mal. Dann würde der das jedenfalls nicht noch einmal tun. Und eine Frau ist auch vergewaltigt worden. Die kenn ich aber nicht. Die ist neu hier. Was sagst du dazu?»

Mrs. Viljoen brachte kein Wort heraus. Man wünschte es ja niemandem. Aber es geschah eben. Selbst in einem so sicheren Ort wie «The Pines».

«Da verschlägt es selbst dir die Sprache, meine Liebe», sagte Rose. «Und was hast du so erlebt?»

54

Nozipho lauschte an der Schranktür. Die Zimmertür war von außen geschlossen worden. Sie versuchte zu hören, was die beiden Weißen sagten. Die Stimmen erkannte sie, das war nicht schwierig, sie konnte aber nicht jedes Wort verstehen.

«... Auto ...», verstand sie, die hohe Stimme, und wieder «... Auto ...», dieses Mal die tiefe. Noch einmal, und noch einmal das Wort, dann mehrere Worte von hohe Stimme. «... konnten wir ja nicht ahnen ... was ist denn hier eigentlich los? ... anderer Plan ...» Der andere kommentierte das. Aber sie hörte lange nur den Klang der Stimme und verstand kein Wort. Dann wurde die Stimme klarer. Vielleicht hatte er sich umgedreht. «In dem offenen Wagen fahre ich die nicht weg.»

Schritte. Die Garagentür fiel ins Schloss. Das Quietschen. Motor starten. Noch einmal der Sound des Garagentors.

«Was machen die?», hörte sie Thembinkosi.

«Irgendwas mit dem Auto.»

«Sie schaffen die Leiche weg.»

«Eben nicht. Nicht mit dem Wagen. Da kann man reinsehen.»

«Und jetzt?» Thembinkosi.

«Weiß ich es? Jedenfalls ist einer von den beiden jetzt weg. Holt ein anderes Auto.»

55

Wie kam man aus einer Gated Community raus? Durch das Tor, durch das man hineingekommen war. Aber wie kam er zum Tor zurück?

Moses stand immer noch hinter der schulterhohen Mauer und versuchte zu verstehen, wo genau er war. Der Sinn der Mauern und der elektrischen Drähte und der Überwachung war ja, dass niemand reinkommen konnte, der nicht drin sein sollte. All die Einbrecher und Strauchdiebe, die Armen und Benachteiligten, vor denen man sich halt schützte. Egal, wo man in Südafrika leben musste. Aber er wollte raus. Er war nicht einmal freiwillig hierhergekommen.

Wie also rauskommen? Und wo? Gab es hier so etwas wie einen Notausgang? Eine Gated Community brauchte keine Feuerleiter und keinen Evakuierungsplan. Also war da auch nur der eine Ausgang. Da musste er hin. Aber wie? Der Bakkie der Security-Firma passierte sein Blickfeld. Am Steuer saß ein älterer Schwarzer. Er hatte eben gar nicht darauf geachtet, wer versucht hatte, ihn zu überfahren.

Vielleicht konnte die Nanny ihm doch helfen. Er hätte sie gleich fragen sollen. Der erste freundliche Mensch, der ihm hier begegnet war. Moses duckte sich, um zurück zur Parallelstraße zu kriechen. Da hörte er die Stimme des Weißen wieder.

«Wenn ich hier die Verantwortung tragen würde, wäre es gar nicht erst so weit gekommen.»

«Wie meinst du das?», fragte eine andere Stimme. Auch männlich. Auch weiß. Auch nicht mehr jung. War das der Referee? Er konnte sich nicht mehr an den Klang der Stimme erinnern.

«Du weißt, was ich meine.»

«Ja ...» Die zweite Stimme klang lehrerhaft. «Es ist schon anders als früher. Sei vorsichtig. Nicht, dass du am Ende noch den Ärger kriegst.»

«Einbruch. Vergewaltigung. Wer weiß, was der noch alles anstellt.» Die beiden Männer blieben auf der anderen Seite der Mauer stehen. Moses versuchte, nicht zu atmen.

«Trotzdem. Geschossen wird nur im absoluten Notfall. Okay?»

«Ja, ja ... Klar. Nur im Notfall.»

«Und selbst das ... Überleg nur, was die Zeitungen dann wieder schreiben.» Die Schritte entfernten sich. Moses begann, wieder zu atmen.

56

«Welcher von den beiden ist weg?» Thembinkosi lehnte sich aus dem Schrank, dessen Tür sich so öffnete, dass er das Fenster nicht sehen konnte.

«Ich weiß es nicht», sagte Nozipho. «Ich hab nur das Auto wegfahren sehen.» Die Garagentür fiel ins Schloss. Ein Telefon klingelte. «Ja», sagte hohe Stimme. Thembinkosi ging zurück in den Schrank und nickte Nozipho zu. Beide ließen die Türen, hinter denen sie sich versteckten, einen Spalt weit offen. Atemluft.

«Alles in Ordnung», sagte hohe Stimme. «Nein, Mutter geht es gut.» Er musste genau vor dem Zimmer stehen. «Ja, sie ist einkaufen gefahren. Hmhm ... sag ich ihr. Wahrscheinlich hat sie ihr Telefon wieder einmal nicht an. Klar. Ja, ich dich auch. Pass auf dich auf.»

Kurz darauf war hohe Stimme in der Küche zu hören. Er öffnete den Schrank und holte ein Glas hervor.

«Seine Mutter?», fragte Nozipho leise.

«Seine Schwiegermutter.»

«Sicher?»

«Nein. So ein Gefühl.»

Aus der Küche ein Flaschenöffnen. Etwas wurde in ein Glas geschüttet. Schubladen.

«Was machen wir?», fragte Nozipho.

«Entweder wir warten. Oder wir tun etwas.» Thembinkosi blies Luft durch die Lippen.

«Was können wir denn tun?»

Thembinkosi kam aus dem Schrank heraus. Sprach leise. «Sobald wir aus dem Zimmer gehen, sind wir in einer Konfrontation. Dann müssen wir ihn ...»

«... unschädlich machen. Die haben diese Frau ermordet. Wir können dem ja nicht sagen, dass wir ganz zufällig im Haus sind und einfach nur rauswollen und bestimmt nichts erzählen werden.»

Der schrille Ton einer Polizeisirene in der Ferne.

«Super», sagte Nozipho. «Und jetzt auch noch die Cops. Die haben uns gerade noch gefehlt.»

57

Moses saß immer noch gegen die Mauer gelehnt. Atmen konnte er wieder. Aber die Beine gehorchten ihm noch nicht. Der White-Trash-Typ träumte davon, ihn umzulegen. Also hatte er auch eine Waffe bei sich, mit der man so etwas tun konnte. Jede Straße, die er überquerte, konnte von nun an seine letzte sein. Der Kerl stand irgendwo und schoss einfach auf ihn. Ich habe mich bedroht gefühlt, musste er hinterher sagen. Von einem Einbrecher und Vergewaltiger. Nach seinem Tod war es scheißegal, was die Zeitungen schrieben.

Er wollte nicht sterben.

Er musste noch mehr aufpassen.

Wieder in die Kriechhaltung. Wie demütigend das allein war. Und wieder zurück. Das erste Haus. Dann das nächste. Das Mädchengesicht war nicht mehr zu sehen. Vorsichtig. Wahrscheinlich waren Leute im Haus. Wahrscheinlich wussten sie, was hier passierte, und waren besonders wachsam.

Moses schaute um die Ecke des Hauses herum auf die Straße, auf der eben noch die Nanny mit dem kleinen Jungen Ball gespielt hatte. Sehen konnte er sie nicht mehr. Hören auch nicht. Also weiter. Er lief die paar Meter bis zu der Mauer, hinter der er sich eben versteckt hatte, und warf sich wieder hin. Der tote Vogel wurde immer noch von Ameisen abgetragen. Er hob den Kopf und schaute in beide Richtungen, konnte aber weder Nanny noch Kind sehen.

Noch einmal den Kopf heben. Der Gründlichkeit wegen. Wer sollte ihm sonst helfen? An der nächsten Ecke erschien eine Uniform. Moses tauchte sofort wieder ab.

Warten. Vorbeiziehen lassen. Verschwinden. Dann das Kaizer-Chiefs-Haus suchen. Langsam kamen die Schritte näher. Gummibesohlte Stiefel, nicht laut, aber hörbar. Nur noch ein paar Meter entfernt. Moses wünschte sich, so klein zu sein wie die Ameisen neben ihm.

Eine Sekunde lang hörte Moses gar nichts mehr. Jedes Geräusch schien verschwunden, unterdrückt, wie unter einer Glocke. Da war auch kein Geruch mehr. Und genau so vergeblich, wie er versuchte zu hören, war der Versuch, sich zu fühlen. In seinen Fingern und den Zehen kein Blut mehr, keine Zirkulation.

Stillstand. Total. Praktisch tot.

Leise versuchen einzuatmen. Und wieder aus. Ein. Wieder aus. War der Kerl noch da?

Der Stockschlag betäubte ihn fast. Auf die Mauer nur und nicht auf den Körper. Aber Moses fuhr zusammen, dass er sich beinah in die Hose pisste.

«Ich hab ihn!», rief die Uniform. Gleichzeitig packte er Moses' Füße.

Es dauerte ewig lang, bis sich Moses von dem Schreck erholte. Vielleicht eine halbe oder eine ganze Sekunde. Er strampelte zuerst hilflos, und dann entschlossen. Er konnte die Beine anziehen und dadurch die Uniform ins Straucheln bringen. Dann streckte er die Beine wieder aus. So schnell er konnte. Zielte. Er erwischte die Uniform am Standbein und hörte etwas knacken. Es war so laut und so deutlich, als wolle es die Sekunden der totalen Stille wiedergutmachen.

Ganz in der Nähe war die Sirene eines Polizeiautos zu hören.

58

Sandi stand in ihrem Zimmer. Sicher schon zwanzig Minuten lang, dachte sie. Vielleicht länger. Das Telefon noch in ihrer Hand. Schweiß lief ihr über den Rücken.

Das Zimmer war klein. Bett und Schrank und eingebaute Küche auf weniger als 20 Quadratmetern. Klo und Dusche in einer Abstellkammer. Sie beschwerte sich nicht. Einige ihrer Freundinnen hatten es schlechter. Gemeinschaftsküche war schon scheiße. Gemeinschaftsklo war scheiße im wörtlichen Sinne. Vor allem, wenn die Jungs es mitbenutzten. Sie schaute auf das kleine Foto von ihr und Moses, das sie über dem Bett aufgehängt hatte.

Worin hatte Moses sich nur jetzt schon wieder verrannt?

Falsche Frage. Sie schüttelte den Kopf. Unsolidarisch. Verrat an der Freundschaft.

Noch einmal von neuem. Was war Moses nun wirklich passiert? Das Auto, sein Telefon, die Gated Community – Höllenorte, wer wollte da leben? –, die beiden Weißen, und dann der Einbruch.

Was war zu tun?, fragte sie sich. Ihr fiel nichts ein. Wie schon eben und davor und auch davor. Aber irgendetwas gab es immer, das man tun konnte. Oder?

Also noch einmal. Sandi setzte sich auf das Bett und zog

sich die Schuhe an. Gab ihr das Gefühl, etwas zu tun. Am Ausgang dieser Gated Community auftauchen, dachte sie. Aber wie? Mit wem? Womit?

Mit Waffen.

Unsinn. Niemand, den sie kannte, hatte welche. Außer dem Onkel in Mthatha. Einfach reingehen. Suchen. Moses in den Arm nehmen. Rausgehen.

Sandi kramte unter dem Bett. Holte einen Schuhkarton hervor. Öffnete den Deckel. Holte Landkarten hervor. Schaute sie durch. Simbabwe. Lesotho. Durban.

Sie verließ ihr Zimmer und klopfte an die Tür des Nebenzimmers. Laura öffnete sofort.

«Du hast doch sicher einen Stadtplan. Oder?» Laura war vor drei Monaten aus Sambia gekommen. Und hatte einen eigenen Wagen. Wie sollte sie sich sonst zurechtfinden.

«Klar.»

«Kann ich den mal haben?»

Zwei Minuten später lag der Stadtplan auf dem Bett in ihrem Zimmer. Sandi kniete davor. Da war Abbotsford, gebaut an einem Autobahnkreuz, meist kleinere Einfamilienhäuser und ein paar neuere Gated Communities. Und dort Dorchester Heights, größere Häuser, an den Nahoon River angelegter Stadtteil, Suburbia wie aus dem Lexikon, und kein Laden, in dem man auch nur ein Brot kaufen konnte. Der Stadtplan zeigte ihr nicht, wo «The Pines» lag. Aber viele Möglichkeiten gab es da nicht. Hier der Fluss, dort Dorchester Heights, wie es auf dem Plan zu sehen war. Da blieb nicht viel übrig. Sie konnte sich sehr genau vorstellen, wo Moses gerade war.

Was sie sich nicht vorstellen konnte, war, wie sie Moses wirklich helfen konnte.

59

Der Security-Mann ließ Moses sofort los. Aus seinem Mund kam ein Ton des Erstaunens mehr als ein Ausdruck des Schmerzes.

Aufstehen, ganz kurz umsehen. Niemand anders in der Nähe. Wieder um das Haus herum. Die Ohren schmerzten noch von dem Stockschlag, der ihn gar nicht getroffen hatte. War er dieses Mal von drinnen gesehen worden? Keine Zeit, sich darum zu kümmern. Schnell aufs nächste Grundstück. An der Mauer anhalten, an der er eben den Weißen mit dem Stock und die andere Stimme belauscht hatte. Sie würden auf ihn schießen. Er musste entkommen. Aber er musste auch vorsichtig sein.

Die Straße war leer. Kein Gesicht in einem Fenster, soweit er das sehen konnte. Die beiden Weißen eben waren nach links gegangen. Er rannte nach rechts. Das war die falsche Richtung. Weg vom Ausgang. Schon wieder. Aber wenn es ums Überleben geht, dachte er, gibt es keine falsche Richtung.

Moses rannte die Straße hinauf und sah zu seiner Rechten die Anhöhe. Also war er unterwegs zum Fluss. Das war die Richtung, die er am Anfang genommen hatte. Vor ihm eine T-Kreuzung, ein paarmal zehn Meter noch. Bald schon war er da. Nach rechts dort oder nach links? Entscheide dich, sagte Moses zu sich selbst.

Rechts am T tauchten drei Leute auf. Moses entschleunigte ein wenig.

Zwei alte Frauen und ein alter Mann. Der Mann mit Stock, beide Frauen mit Hund. Eine Seniorenpatrouille.

«Da ist er!», sagte der Mann.

Eine der beiden Frauen schrie. Einer der Hunde fing an zu kläffen. Der andere machte es ihm nach. Die Gruppe war jetzt mitten auf der Kreuzung angekommen. Der Mann breitete die Arme aus, setzte den Stock als Schranke ein. Tu das doch nicht, dachte Moses. Und: Hoffentlich waren die nicht bewaffnet. Er begann, wieder schneller zu laufen.

Die andere Frau schrie: «Hier. Hilfe. Hilfe.»

An ihnen vorbei, ins T hinein und in die nächste Straße. Moses hörte noch ein «Hilfe!» mit ganz langem i.

Hunde, dachte Moses kurz. Richtige Hunde. Das fehlte noch. Lief weiter. Vorn rechts weiter Richtung Fluss. Geradeaus leicht bergab Richtung ... Ja, wohin eigentlich? Es gab keine Richtungen, alles war aufgehoben hier, wo alles von einer endlosen Mauer begrenzt war. Entscheide dich.

Hinter ihm irgendwo das kurze Aufjaulen der Polizeisirene. Geradeaus tauchte eine Uniform auf. Nach rechts also. Frei bis zum nächsten T. Ganz nah am Fluss. Dann weitersehen. Laufen.

Den Uniformierten, der sich hinter einer Mauer verborgen hatte, konnte Moses nicht sehen. Er war in der Mitte zwischen zwei Schritten, beide Beine in der Luft, als er den Bodycheck einsteckte. Fiel zur Seite, konnte sich nicht abrollen, stieß mit der Brust gegen eine Mülltonne, die umfiel. Er purzelte über den großen Plastikeimer und landete in dem Dreck, der gerade aus der Tonne kam. Dann fiel der andere auf ihn drauf und rollte noch weiter, so viel Schwung hatte er gehabt. Der Uniformierte traf die Mauer vor dem nächsten Haus mit der Schulter und schrie vor Schmerz laut auf.

Aber er war schnell wieder auf den Beinen, schneller als Moses, der noch im Müll herumrutschte. Breitbeinig stand der Security-Mann vor ihm und hielt sich die Schulter. Moses stand langsamer auf, das Wiuwiu der Polizeisirene kam näher. Der Uniformierte hatte anscheinend starke Schmerzen und sagte: «Bleib besser stehen! Sie kriegen dich doch!»

Der Polizeiwagen kam um die Ecke gebogen. Moses drehte sich, rutschte kurz aus im Müll und fand dann die Sicherheit, um über die Straße zu rennen.

«Stopp!», kam es aus dem Lautsprecher des Polizeiwagens. «Das ist die Polizei! Bleiben Sie sofort stehen.» Moses sprang gerade über eine hüfthohe Mauer. Beim Absprung merkte er noch, dass irgendetwas Glitschiges an seinem Schuh klebte. Er hatte Glück, nicht mit dem Gesicht auf die Mauer zu fallen.

Die Polizei kam schnell näher, und als Moses neben dem Haus verschwand, hörte er schon die Bremsen. Türen öffnen, Türen zuschlagen, Stiefel rennen. Moses war hinter dem Haus, blieb stehen, überlegte ganz kurz, rannte hinter dem Haus entlang zum Nachbargrundstück, anstatt sich zur nächsten Straße zu orientieren. Da war eine Hecke mit gelben Blüten, dicht, aber nicht hoch. Er machte einen Hechtsprung und landete dahinter. Weich dieses Mal, er kauerte sich zusammen. Wollte unsichtbar sein. Wieder einmal. Für immer nun.

«Wo ist er?», hörte er einen Mann fragen. «Bestimmt da hinten», sagte eine Frau. Da hinten meinte nicht hier vorn. Sie guckten woanders. Bald waren die Stimmen entfernt.

«Siehst du ihn?» Der Mann. Weiter weg.

«Hier nicht.» Die Frau.

Moses blickte sich um, stand aber noch nicht auf. Im Fenster des Hauses ein Poster von Itumeleng Khune. Der Kaizer-Chiefs-Keeper. Und Captain. War er, wo er hinwollte? Das Haus war zweistöckig, wie in seiner Erinnerung. Er stand auf und rannte geduckt zur Vorderfront. Da war das Trikot im Fenster. Da war dieser Briefkasten, wegen dem er das Haus überhaupt nur beachtet hatte. Moses ging zur Haustür und hoffte, noch so lange nicht sichtbar zu sein, bis sich die Tür öffnete. Er klopfte und wartete.

60

«Wir haben noch nie jemanden unschädlich gemacht», sagte Nozipho ganz leise. Sie standen am Fenster und sahen auf die Straße.

«Ich weiß», sagte Thembinkosi.

«Das ist nicht unser Stil.»

«Ich weiß.»

«Wir tun, was wir tun, weil wir es gut können. Und das andere eben nicht.» Thembinkosi sagte nichts.

«Und als damals das Mädchen versucht hat, mir die Handtasche zu klauen ... da warst du nicht einmal in der Lage, sie zu schlagen. Das musste ich tun.»

«Ich weiß. Aber es ist immer klar gewesen, dass es irgendwann mal nötig sein könnte. Und das mit dem Mädchen ...»

«Psst!»

Draußen waren Schritte zu hören. Es war zu spät, um im Schrank zu verschwinden. Die Schritte gingen vorüber. Pisse plätscherte ins Klo.

«Ich muss auch», sagte Nozipho.

«Das mit dem Mädchen war etwas ganz anderes. Du hättest sie auch nicht schlagen müssen.»

«Ich wollte aber.» Klospülung.

«Gut, du hattest dazu das Recht, finde ich», sagte Thembinkosi. «Und hier haben wir vielleicht keine andere Wahl.»

«Aber was machen wir? Schlagen wir ihm den Schädel ein?» Schritte im Flur. Hohe Stimme ging zurück in die Lounge.

«Wenn es nötig ist.»

«Das machst dann aber du.»

Draußen fuhr ein Polizei-Bakkie vor. Stellte sich neben den verbliebenen Polo der Security-Firma. Kommunikation von Auto zu Auto. Im Polizeiwagen saßen ein Mann und eine Frau.

«Scheiße», sagte Thembinkosi.

Der Security-Wagen startete und fuhr davon. Der Polizeiwagen folgte. Die Straße war frei.

«Super!», sagte Nozipho. Beide schwiegen eine Weile.

«Wie willst du es machen?», fragte Nozipho. Thembinkosi antwortete nicht.

Ein junger Mann rannte die Straße entlang. In die andere Richtung.

«Das ist er», sagte Thembinkosi. «Der von eben.» Ein Uniformierter folgte ihm kurz darauf.

«Aber wie kann der immer noch hier unterwegs sein?», fragte Nozipho.

Der Polizeiwagen folgte dem Uniformierten. Blaulicht. Kurzes Sirenenjaulen.

«Wegen dem der ganze Stress?» Nozipho.

«Anscheinend.»

«Aber die müssen den doch irgendwann erwischen. Einer gegen ganz viele.»

«Eigentlich schon.»

«Was meinst du, was er getan hat?»

«Hier wohnen reiche Leute. Wir sind nicht die Einzigen, die das interessiert.»

«Aber die ganze Kavallerie wegen einem, der etwas geklaut hat?»

«Ich weiß es doch auch nicht.»

Ein paar Sekunden lang Ruhe drinnen und draußen.

«Jetzt ist die beste Gelegenheit zu verschwinden, Thembi. Wir müssen etwas tun.»

«Du hast recht.»

Der Security-Polo rollte wieder heran. Blieb genau dort stehen, wo er zuletzt geparkt hatte.

«So eine Scheiße!», sagte Nozipho.

«Wir müssen trotzdem überlegen, was wir tun können. Wir müssen hier raus.»

61

«Hausfriedensbruch, Einbruch, versuchte Vergewaltigung, Diebstahl, Körperverletzung, noch etwas ...?» Warrant Officer Zolani Mafu schaute zur Seite.

«Schwere Körperverletzung», sagte Police Sergeant Yolanda Baker. «Noch zusätzlich.»

«Schwere Körperverletzung», wiederholte Mafu ins Funkgerät.

«Wie kann jemand innerhalb kurzer Zeit so viele Straftaten begangen haben?», kam eine Stimme aus dem Off zurück. «Ist der Flüchtige bewaffnet?»

«Das weiß niemand.» Mafu.

«Wie hat er denn die Körperverletzung und die schwere Körperverletzung begangen?» Mafu blickte auf Baker. «Einen alten Mann verprügelt, seine Frau mit einem Stuhl verletzt, einem Security-Guard ein Bein gebrochen, als der ihn festnehmen wollte.»

«Und die Vergewaltigung?»

«Er ist in das Haus eingedrungen, das der Frau gehört.»

«Mit der Beute?»

«Offensichtlich.» Baker schaute Mafu an. Der nickte.

«Dann schnappt ihn euch. Verstärkung ist unterwegs.»

62

In der Lounge wurde ein Fernseher eingeschaltet. Laut. Irgendeine Show mit johlendem Publikum.

«Eins ist klar», sagte Thembinkosi. «Wir wollen ihn nicht töten, sondern nur handlungsunfähig machen. Wir wollen hier raus, und er ist im Weg. Es gibt aber ein Problem.»

«Nämlich?», fragte Nozipho.

«Eigentlich gibt es zwei Probleme ...»

«Wir haben keine Waffe?»

«Das ist das eine. Ich weiß nicht, wie wir ihn angreifen sollen.»

«Mit den Händen. Wir sind zu zweit, er ist allein.»

«Aber was, wenn er vorbereitet ist? Wenn er eine Waffe hat? Wenn er uns bemerkt, bevor wir an ihm dran sind?»

Nozipho begann, die Schranktüren zu öffnen. Dann ging sie in die Hocke und klappte den kleinen Koffer der Toten auf. Unter der Kleidung fand sie die Kosmetiktasche und zog den Reißverschluss auf. Kramte ein wenig darin herum. Holte eine Nagelfeile heraus und hielt sie hoch. «Frauen können sich wehren.»

Draußen zappte hohe Stimme durch die Fernsehkanäle. Eine Sportübertragung.

«Aber was soll ich damit machen?»

Nozipho überlegte kurz, dann stand sie auf, zog das Kleid glatt, hob den Arm und fuhr mit der Nagelfeile ein paarmal herab. «Das?», fragte sie.

«Du willst, dass ich ihn massakriere?»

«Ich will raus.»

Beide sagten eine Weile gar nichts. Der Sportreporter überschlug sich vor Begeisterung.

«Und was ist das zweite Problem?»

«Er hat gerade schon einen Menschen ermordet. Und vielleicht sogar noch mehr. Deshalb wird er uns nicht einfach gehen lassen. Wenn er begreift, dass wir im Haus sind, wird er alles dafür tun, dass wir es sind, die unschädlich gemacht werden.»

«Wir passen nicht beide noch in die Kühltruhe.»

«Das ist natürlich beruhigend. Obwohl ...», sagte Thembinkosi und blickte sich um. «So groß, wie die ist.»

63

Aus dem Haus kam kein Ton. Keine Schritte, kein «Gehst du mal eben zur Tür?»-Rufen. Moses blickte sich um. Niemand zu sehen. Keine Bedrohung von der Seite.

Er klopfte noch einmal. Nicht zu laut, nicht zu hektisch. Er wollte nicht die ganze Nachbarschaft alarmieren, nur die Leute in diesem Haus. In diesem einen Haus. Irgendwer musste ihm doch helfen wollen.

«Da ist niemand», hörte er eine Kinderstimme hinter sich. Moses zuckte zusammen und drehte sich um.

Das Mädchen war vielleicht acht Jahre alt. Sie trug eine blau-schwarze Schuluniform. Ihre Cornrows liefen hinten in einem Zopf zusammen, in der Hand trug sie eine Schreibmappe und einen Kugelschreiber. «Busi ist noch beim Ballett. Und da wird sie erst gleich von ihrer Mom abgeholt. Da musst du also warten.»

Sie war die Rettung! Da, wo sie hinwollte, wollte er auch hin. Eine Tür, die sich öffnete, die sich auch ihm öffnete. Das Gesicht einer liebenden Mutter, die auch ihm Zuneigung und die ganz allgemeine Liebe zum Menschen entgegenbrachte.

Solidarität unter Schwarzen. Jetzt würde sich zeigen, dass das neue Südafrika mehr war als nur eine Verfassung, die nie jemand gelesen hatte.

«Sag mal», begann Moses. «Willst du ein Spiel mit mir spielen?» Noch während er sprach, wusste er, dass die Frage unangemessen war.

«Au ja», sagte das Mädchen. «Was für ein Spiel?» Gut. Sie hatte von all den Unangemessenheiten noch nichts gehört.

«Sagen wir so: Wer wartet denn auf dich zu Hause?»

«Mommy!»

«Mommy. Super. Das Spiel ... Das Spiel geht so: Wir müssen zu Hause bei deiner Mommy ankommen, ohne dass uns irgendjemand anders sieht.»

Das Mädchen überlegte ein paar Sekunden. Moses fragte sich, ob sie doch um all die Ambivalenzen wusste. Dann blickte sie sich kurz um und sagte: «Interessant.»

«Heißt das: Ja?»

«Klar!»

Moses warf sich zu Boden.

«Ist das schon Teil von dem Spiel?»

«Ja», sagte Moses. Er hatte eine Uniform im Augenwinkel wahrgenommen. «Wir müssen sofort damit anfangen. Komm ganz schnell zu mir.» Moses robbte in die hinterste Ecke des kleinen Gartens. Dort war die Mauer hoch genug, um sie beide zu verbergen.

Das Mädchen sprang ihm wie ein Hundekind hinterher und lachte dabei.

«Aber wir müssen dabei ganz ruhig sein. Niemand, wirklich niemand darf uns bemerken.»

«Oops!», sagte sie und legte die freie Hand auf den Mund. Dann hockte sie sich auch hinter die Mauer.

Moses hob den Kopf und sah über die Mauer hinweg. Die Uniform war eine junge Frau, die pflichtbewusst zwischen die Häuser schaute. Sorgfältig, aber nicht zu sorgfältig. Sie tat, was man ihr aufgetragen hatte. Mehr nicht. «Die Frau, die kommt», sagte Moses zu dem Mädchen, «die darf uns nicht sehen.»

«Okay», sagte sie und duckte sich noch ein wenig tiefer.

Die Schritte der jungen Frau waren jetzt deutlich zu hören. Tapp, tapp, immer ein bisschen lauter. Sie behielt den Rhythmus bei, tapp, tapp, die Schritte wurden wieder leiser.

«Gut!», sagte Moses.

«Gut!», sagte das Mädchen.

«Ich heiße Moses. Und du?»

«Flower. Was machen wir jetzt?»

«Jetzt gehen wir zum Haus deiner Eltern. So, dass wir nicht gesehen werden.»

«Das Haus meiner Mutter. Mein Vater lebt woanders. Mommy sagt, er ist ein Hurensohn. Aber nur, wenn ich nicht im Zimmer bin. Was ist ein Hurensohn?»

«Fuuuh», sagte Moses. «Einer ... einer, der seine Ehefrau nicht liebt, Flower.»

«Hm!», sagte sie und guckte ihn skeptisch an.

Moses wusste, dass das eine sehr müde Antwort gewesen war. Aber er hatte gerade keine bessere. Er erhob sich langsam und blickte sich um.

«Bist du eigentlich der, den alle suchen?» Moses' Herzschlag ging schneller.

«Du kannst mir das ruhig sagen. Ich erzähle es nicht weiter.»

Moses sah auf Flower herab und überlegte, wie er seine Situation erklären sollte. «Ja», sagte er. «Das bin ich. Aber was sie sagen, das ich getan habe ... Das stimmt nicht.»

«Das habe ich mir gedacht.»

«Warum?», fragte Moses.

«So etwas sieht man doch. Oder nicht?»

«Was sagen sie denn, das ich getan habe?»

«Tante Grace sagt, dass du gestohlen hast. Und dass du Menschen weh getan hast. Stimmt das?»

«Also ... gestohlen habe ich nicht.»

«Und anderen Leuten weh getan?»

«Nur weil sie mich fangen wollten.»

«Du wolltest das nicht?»

«Nein.»

«Dann hast du dich nur gewehrt?»

«Schon. Wir müssen wirklich bald hier verschwinden.»

«Hmhm.»

«Wie weit ist es denn bis zu eurem Haus?»

«Weit.»

«Dann lass uns gehen.»

64

Scheiß-Stresstag. In «Palm Trees» hatte es gebrannt, und noch bevor die Feuerwehr kommen konnte, war das Dach des Hauses eingestürzt. Nur gut, dass bei der Hitze nicht auch noch andere Häuser von dem Feuer erfasst worden waren.

Die Nachbarn hatten pausenlos Wasser über ihre eigenen Häuser gekippt. Als er einen gefragt hatte, warum er nicht mal einen Eimer Wasser auf das Feuer selbst geschüttet hatte, wäre es beinah rundgegangen. Und jetzt der Ärger in «The Pines». Warren Kramer öffnete die Tür zum Monitorraum. «Was gibt's?» – «Sie kriegen ihn nicht, Boss», sagte Happiness. – «Wie kann das sein? Wie viele Leute habt ihr da jetzt schon?» – «Sechs Autos. Fünfzehn Leute. Sogar der Boss ist da.» – «Gerrit?» – «Ja, Boss van Lange.» – «Und warum klappt das dann nicht? Den Bastard zu kriegen, kann doch nicht so schwer sein. Ein Tsotsi.» – «Glaube ich nicht, Boss.» – «Dass es einfach ist, den zu kriegen?» – «Dass er ein Tsotsi ist, Boss.» – «Zeig mir den noch mal.» Happiness drückte ein paar Tasten und zoomte auf einen Ausschnitt. «Da, Boss.» Kramer sah einen abgerissenen Lumpen. Zu kräftig und zu durchtrainiert für die schlechte Kleidung, aber, da gab es gar nichts, die Kleidung war die Visitenkarte eines Mannes. Und der Kerl sah scheiße aus. «Was geben die Kameras noch her?»

Happiness suchte weitere Bilder von dem Jungen. Startete irgendwann, ließ vier Kameras gleichzeitig rückwärts suchen. «Stopp!», sagte Kramer. «Wer ist das?» Auf einen Tastendruck blieben alle vier Kameras stehen. «Die beiden da. Wer ist das?» Ein gut aussehender Mann und eine Frau im Kittel. Die beiden hatte Happiness noch nie gesehen. Aber das musste Boss Kramer nicht wissen. «Zwei Leute», sagte sie. – «Schon mal gesehen?» – «Ich glaube schon», sagte sie, obwohl die beiden ihr völlig unbekannt waren. Der Mann wäre ihr aufgefallen und in Erinnerung geblieben. Sie beobachteten die zwei eine Weile. Kramer verlor langsam das Interesse. Ihres stieg an. Nicht, weil der Mann so gut aussah. Wie die beiden sich benahmen, da stimmte irgendetwas nicht. Sie konnte es nicht einmal für sich beschreiben. Aber sie redeten so ... als ob sie sich gut kannten. Richtig gut. Nur ... wie sollten sich einer in einem so schicken Anzug und eine domestic worker so gut kennen? So vertraut sein? Ausgeschlossen. Besser, sie sagte nichts. Sie hatte sicher andere Bilder betrachtet, als die beiden unterwegs gewesen waren. Oder vielleicht geschlafen. «Sind bestimmt längst wieder draußen, oder?», fragte der Boss. «Bestimmt», sagte sie.

65

Thembinkosi nahm die Nagelfeile aus Noziphos Hand. Blickte sie an. Hob den Arm und trieb sie heftig in einen Körper, der nicht da war.

«So eine Scheiße!», sagte er.

Der Sportreporter war jetzt auf einem Dauerhoch. Die Stimme überschlug sich wieder und wieder.

«Lass uns gehen», sagte Nozipho. «Es wird Zeit.» Sie legte die Hand an die Türklinke.

«Warte. So einfach geht das nicht. Was, wenn er hinter der Tür steht?»

«Dann hat er uns sowieso schon entdeckt.»

«Aber wir müssen uns doch vorbereiten. Einen Plan machen.»

«Der beste Plan ist, dass er überrascht ist.»

«Kannst du nicht auch noch etwas in die Hand nehmen?»

«Was denn?»

«Ich weiß nicht, irgendetwas.»

Draußen bremste ein Auto. Sie hörten hohe Stimme in die Garage rennen. Das Tor ging auf. Der Wagen fuhr herein.

«Jetzt ist es sowieso zu spät», sagte Thembinkosi.

66

«Komm», sagte Flower und griff nach Moses' Hand. Der ließ es zu und dachte, dass ihn die Security-Leute sofort umlegten, wenn sie das sahen. Zum Glück zog das Mädchen ihn zu einer Mauer, die so hoch war, dass sie beide Hände brauchte, um darüberzuklettern. Sie ließ ihn wieder los und ging dann vor.

«Du denkst daran, dass uns niemand sehen darf?»

«Sicher.» An einer Straße blieb Flower stehen und schaute sich um. «Ich gehe zuerst rüber.» Dann ließ sie ihn stehen und überquerte die Straße. Auf der anderen Seite angekommen, blickte sie sich noch einmal um und winkte ihm.

Moses lief, um den Abstand aufzuholen. Duckte sich hinter die nächste Mauer. «Woher kennst du dich hier so gut aus?»

«Wegen Busi. Und auch wegen Nandi, meiner Cousine. Wenn die hier ist, dann dürfen wir manchmal alleine raus. Meine Cousine ist schon 12. Komm.»

Flower sah sich um wie eine Einbrecherin und schlich durch Vorgärten, über Terrassen und unter Hecken hindurch. Moses folgte ihr, bis sie an einer Straße stehen blieb. Sie legte einen Finger auf die Lippen. Dann zeigte sie auf den Weg, den sie gerade gekommen waren. Moses verstand nicht sofort, was sie damit sagen wollte. Sie zeigte noch einmal in dieselbe Richtung, als Schritte zu hören waren. Endlich kapierte er und verzog sich. Hinter einem Baum blieb er stehen und hörte eine Stimme, die er kannte:

«Flower, du bist aber wieder ein ungezogenes Mädchen!» Der Referee. Flower kicherte.

«Du weißt genau, dass du hier nicht spielen darfst.»

«Ich geh auch gleich.»

«Du verdienst es, dass ich dir den Popo versohle.» Lüstern. Das Schwein.

«Ich geh wirklich.» Flowers Stimme war schon weiter weg.

«Ich werde ganz genau aufpassen», rief der Referee noch. Dann war Stille. Sie waren jetzt in jenem Teil von «The Pines» angekommen, den Moses noch nicht kannte. Näher an der Straße von Abbotsford nach Dorchester Heights. Aber was nützte es, wenn er ohnehin nicht über die Mauer klettern konnte. Vielleicht war es wenigstens dafür gut, dass sie ihn hier nicht vermuteten.

«Moses!» Flower war zurück.

«Was spielst du eigentlich mit Busi und Nandi?»

«Na, dass sie uns nicht sehen dürfen.» Als Moses dazu nichts einfiel, sagte sie: «Wir dürfen hier nicht spielen. Das ist ja alles Privateigentum. Wir tun es aber trotzdem. Da darf uns nur keiner sehen.»

Cooles Mädchen. Wenn sie später einmal andere Interessen hatte, würde er sich in sie verlieben, dachte Moses.

«Dahinten», sie zeigte Richtung Fluss, «da sind zwei Autos, in denen Leute mit Uniformen sitzen. Und da», sie zeigte in die entgegengesetzte Richtung, «da hab ich ein Polizeiauto fahren sehen. Das ist aber nicht näher gekommen. Und dann hab ich noch die alte Mrs. Peacock gesehen. Die sagt aber nichts.»

«Warum sagt sie nichts?»

«Sie kann nicht.»

«Hat sie einen Schlaganfall gehabt?»

«Zungenkrebs.»

«Woher weißt du das?»

«Von Nandi. Sie hat's von ihrer Mutter. Und die hat's von Mommy.»

«Sie hat keine Zunge mehr?»

Flower schüttelte den Kopf. «Komm. Wir müssen weiter.»

«Wie weit ist es denn noch?»

«Wir müssen noch über zwei Straßen.»

67

Nozipho hatte noch die Klinke der Schlafzimmmertür in der Hand, Thembinkosi lehnte an ihr, die Nagelfeile hielt er weit vom Körper. Sie schauten sich an.

«Hast du das Geld?» Hohe Stimme. Thembinkosi griff Noziphos Hand.

«Wieso ich?»

«Es ist nicht mehr hier?»

«Wie ... Nicht mehr hier?»

«Es ist nicht mehr da, wo ich es hingetan habe.» Hohe Stimme wurde lauter.

«Wo hast du es denn hingetan?»

«In eine der Schubladen. Hier. In der Küche.» Stiefelschritte. Schubladen öffnen und schließen.

«Du verarschst mich.»

«Nein. Ich schwöre.»

«Aber die alte Frau kann das Geld nicht haben. Als du es versteckt hast, war sie tot.»

«Ich weiß.»

«Dann erklär es mir.» Tiefe Stimme wurde mit jedem Satz leiser. Keiner von beiden sagte ein Wort.

«Erklär es mir.»

«Jemand war im Haus.»

«Unsinn. Wer soll hier reinkommen?»

«Aber ... Der Personalausweis. Der ist doch auch weg.»

Tiefe Stimme begann, auf und ab zu gehen. Langsam zuerst, dann schneller. Blieb stehen. Ging weiter.

«Was werden die machen?», fragte Nozipho tonlos.

«Sich gegenseitig umbringen.»

«Oder die Wohnung durchsuchen.»

Thembinkosi dachte an den Slip. Und an die Hemden. Und an das Kleid, das Nozipho trug. Die leeren Bügel.

«Was ist?», fragte hohe Stimme. Er klang ängstlich. «Sag schon!» Die Stiefelschritte stoppten. «Ich denke nach.»

«Wir sollten wieder in den Schrank zurück.» Nozipho.

«Wie kann man denn hier reinkommen?» Tiefe Stimme.

«Komm.» Nozipho.

«Warte.» Thembinkosi.

«Wir haben den Alarm nicht angestellt.» Hohe Stimme.

«Du hast den Alarm nicht angestellt.» Tiefe Stimme. «Es ist dein Haus.»

«Ja, mein Haus, aber er war nicht angestellt.» Hohe Stimme.

«Komm!» Nozipho.

«Nein.» Thembinkosi. «Sei still!»

«Komm!» Tiefe Stimme.

«Jetzt!» Nozipho.

Thembinkosi nahm Nozipho in den Arm und hielt sie fest. Draußen Schritte. «Bist du ganz sicher?» Tiefe Stimme.

«Klar.» Hohe Stimme klang erleichtert.

«Ich will noch mal in der Scheiß-Tiefkühltruhe nachsehen.»

Nozipho löste sich aus der Umarmung. Sekunden später waren beide wieder im Schrank verschwunden.

68

Warrant Officer Henrik Bezuidenhout stand am Eingangstor von «The Pines», als endlich der Bakkie der Hundestaffel auftauchte. Vielleicht würde das Problem ja bald gelöst sein. Konnte doch nicht so schwer sein, in einer gut gesicherten und überwachten Gated Community einen flüchtenden Jungen einzufangen und dem Gesetz zu übergeben. Also ihm. Im Moment war er noch der ranghöchste Polizist hier.

Der Wagen wurde durchgewinkt und blieb stehen, Jay-Jay Dlomo stieg aus. «Shaka Zulu ist der beste», sagte er. «Mit ihm haben wir den Kerl in ein paar Minuten.» Der Hund sprang aus dem Käfig des kleinen Chevrolet. Bezuidenhout sah, wie Dlomo dem Deutschen Schäferhund über den Kopf strich. Das Tier hechelte und hielt seine lange Zunge in die

Sonne. Dlomo war der erste schwarze Hundeführer in East London gewesen. Ein guter Mann. Vor seinen Hunden waren zwei Generationen Tsotsis in Panik davongerannt. Ein paar Hunde hatten sie auch erschossen, klar. Aber auf der Flucht vor so einem Biest muss man eiskalt sein, wenn man seine Pistole nicht nur ziehen, sondern sie auch noch abfeuern muss. Und treffen.

«Wo ist der Typ denn überall aufgetaucht?», fragte Dlomo.

«Der ist vor allem herumgerannt.»

«Und immer wieder entkommen?»

«Hmhm.»

«Amateure! Das wird uns nicht passieren, he?» Dlomo tätschelte den Hund.

«Wir haben gehört, dass er in mindestens zwei Häusern gewesen ist. Eines war leer, da hat er sich bedient. Und beim anderen ... Da war eine Frau zu Hause. Sie hatte gerade geschlafen, als der Kerl bei ihr vor dem Bett gestanden hat. Er hat dann versucht, sie zu vergewaltigen. Als sie geschrien hat, ist er davongelaufen. Moment», sagte Bezuidenhout und schaute auf einen Zettel, «ich glaube, die Frau ist zu einer Freundin gegangen, um den Schrecken zu verarbeiten. Also wäre das andere Haus das Einfachste. Da ist jemand zu Hause. Alter Mann.»

«Wie lange ist er denn dadrin gewesen?»

«Lange genug, um die Wertsachen zu finden und mitzunehmen.»

«Ach, das reicht uns, nicht wahr, mein Junge?» Dlomo sah auf den Hund herab.

«Ich hab die Adresse hier. Soll ich einfach vorfahren?», fragte Bezuidenhout.

69

Flower war schon auf der anderen Straßenseite und gab das Zeichen. Der Daumen.

Moses schaute sich trotzdem noch einmal um, sprintete über die Straße und hockte sich hinter die nächste Mauer. «Das Haus hier ist leer», sagte Flower. Moses sah geschlossene Vorhänge und eine verwitterte Hauswand.

«Da ist einer drin gestorben», sagte Flower. «Und jetzt will keiner mehr drin wohnen.»

«Einfach gestorben?»

«Ich glaube schon. Alte Leute sterben ja.»

«Alte Leute sterben. Klar. Gibt es viele leere Häuser hier?»

«Ja. Mommy sagt, dass manche ihr Licht automatisch anschalten lassen, damit man das nicht bemerkt. Kommst du weiter?»

Sie gingen um das leere Haus herum.

«Hier müssen wir aufpassen», sagte Flower.

«Warum?»

«Da wohnt eine Hexe.»

«Wie kommst du darauf?»

«Mommy sagt das.»

«Warum sagt sie das?»

«Ich weiß nicht. Aber sie hat recht. Immer wenn wir hier sind, sieht sie uns.»

«Ist sie allein?» Das Haus stand jetzt vor ihnen. Keine Vorhänge. Schmutzige Fenster. Rasen verdorrt.

«Sonst würde sie ja nicht immer aus dem Fenster gucken.»

«Also ist sie auch jetzt zu Hause?»

«Sie ist immer zu Hause.»

«Und warum ist sie eine Hexe?» Moses sah niemanden im Fenster. Aber vielleicht guckte die Frau ja auch zur anderen Seite raus.

«Weil sie immer irgendwo anruft.»

«Wo denn?»

«Das hab ich vergessen.»

«Polizei?»

«Ich glaube nicht. Ich glaube, sie ruft die anderen Leute an, die hier in den Uniformen rumfahren.»

«Und dann? Dann kommen die?»

«Nein.»

«Warum nicht?»

«Weil ihr niemand mehr glaubt. Sagt Mommy. Weil alle wissen, dass sie eine Hexe ist.» Moses schaltete ab. Mommy und die Hexe? Ein bisschen Nachdenken musste eigentlich reichen, um das zu entschlüsseln. Aber er schaffte das gerade nicht. Er war viel zu erschöpft.

Und Flower hatte noch eine ganze Menge zu lernen.

70

Jay-Jay Dlomo fuhr dem weißen Kollegen hinterher. Bei dessen Alter, dachte er, hatte der noch erlebt, wie sie die Hunde auf Schwarze gehetzt hatten. Und das nur, weil sie schwarz gewesen waren. Die Zeiten hatten sich geändert, dachte er. Wer sollte das besser wissen als er?

Der Nissan des Warrant Officers bog um eine Ecke, dann um noch eine, wurde langsamer und kam vor einem Haus zum Stehen. Die Tür eines Central-Alert-Wagens ging auf, eine junge Frau stieg aus. Sie zog ihre Uniform glatt und wartete darauf, dass etwas geschah. Die Security-Leute hatten alle eine große Klappe, dachte Dlomo. Aber wenn die richtige Polizei kam, wurden sie ganz schnell bescheiden.

Vor dem Haus tauchte ein hagerer alter Mann auf. Hemd und Hose hingen an ihm wie XXL-Ware an einem hungernden Kind. Er hielt einen kleinen Hund im Arm und bewegte sich langsam auf die Neuankömmlinge zu. Der Hund wackelte nervös mit dem Kopf. «Haben Sie ihn?», fragte er. «Haben Sie meine Sachen?»

Dlomo sah, wie Bezuidenhout den Kopf schüttelte, und öffnete die Heckklappe seines Autos.

«Shaka Zulu, komm!»

Der Schäferhund machte einen Satz, hielt die Nase in den Wind und an den Boden und stellte sich dann neben Dlomo. Hob den Kopf. Wartete auf ein Zeichen. Bezuidenhout nickte in ihre Richtung.

«Hier ist er vor über einer halben Stunde gewesen. Das müsste doch reichen, nicht?» Der Warrant Officer wartete nicht auf eine Antwort. «Das ist Mr. Foster. Geld und Schmuck fehlen. Können wir gleich hineingehen? Mr. Foster, zeigen Sie uns doch, wo der Einbrecher gewesen ist.»

«Im ganzen Haus ist er gewesen», sagte der alte Mann. Dabei zitterte die schlaffe Haut an seinem Hals. «Der hat ja bestimmt gedacht, ich merke das nicht. Aber schon mit dem Schloss war irgendetwas nicht in Ordnung. Und dann habe ich gesehen, dass die ... Was ist denn?» Er sah auf den kleinen Hund in seinem Arm hinab. Der blickte auf den größeren Artgenossen hinunter, das Fell stand ihm zu Berge. Shaka Zulu beachtete den Kleinen gar nicht.

«Weiter?», sagte Bezuidenhout. «Können wir reingehen?»

«Da», sagte Foster, als er im Schlafzimmer angekommen war. «Das habe ich sofort gesehen. Das Deckchen da, auf der Kommode, das lag nicht auf Kante.»

«Was ist in der Kommode?» Bezuidenhout.

«Sie müssen fragen: Was war in der Kommode?» Foster.

«Gut. Was war drin?»

«Geld.»

«Wie viel?»

Foster zögerte eine Sekunde. Dlomo konnte die Lüge schon riechen, die jetzt kam.

«25 000 Rand.»

«Ziemlich viel Geld für eine Kommode.» Bezuidenhout.

«Und da, sehen Sie ... das Deckchen. So hat es da gelegen. Meine Schwester hat es mir aus Australien mitgebracht.»

Das Ding sah aus wie ein kleiner Teppich. Dlomo konnte nicht erkennen, warum man es jemandem als Geschenk mitbringen sollte.

«Also hier ist der Einbrecher auf jeden Fall drin gewesen?» Bezuidenhout.

«Ganz sicher.»

Der Warrant Officer wandte sich um. «Was braucht der Hund jetzt?»

«Etwas, was der Einbrecher in die Hände genommen hat. Probieren wir es halt mit dem Ding auf der Kommode.» Dlomo nahm den Teppich und hielt ihn Shaka Zulu vor die Nase. «Such», sagte er.

Der Hund schnüffelte ein paar Sekunden und machte dann einen Schritt auf Foster zu.

«Gut, Shaka Zulu», sagte Dlomo. «Der nicht.»

Der Hund schnüffelte noch einmal und nahm eine andere Witterung auf. Hielt die Nase an den Boden, fand irgendetwas und folgte der Spur. Dlomo ließ ihn laufen. Shaka Zulu betrat jedes einzelne Zimmer des Hauses, drehte sich wieder um, roch eine Nebenspur und blieb wieder stehen, um schließlich an der Haustür zu enden. Er bellte einmal.

Jetzt geht es los, dachte Dlomo.

71

«Das da ist unser Haus», sagte Flower. Sie zeigte über eine Straße hinweg. Zweistöckig, weinrote Vorhänge, ein paar Fenster geöffnet. Neuer Kleinwagen vor der Garage.

«Das Auto von Mommy?», fragte Moses.

«Hmhm ... Komm, wir gehen rüber.»

«Warte noch.» Die beiden waren hinter einer Mauer verborgen, über die Flower gerade noch blicken konnte. Moses sah die Straße hinauf und hinunter. Näher zum Ausgang hörte er einen Müllwagen – oder war der auf der Straße außerhalb von «The Pines» unterwegs? Zum Fluss hin war die Straße leer. Obwohl ... Gerade bog ein Security-Wagen in ihre Straße ein. Es war der Bakkie, der versucht hatte, ihn zu überfahren. Oder vielleicht ein anderer, der genauso aussah. Bleib ruhig, sagte sich Moses. Wichtig ist nur, sich in Sicherheit zu bringen. Und Sicherheit war gerade ein paar Meter von ihm entfernt auf der anderen Straßenseite.

Der Bakkie näherte sich langsam. Moses ging in die Hocke und ließ ihn passieren. Als das Geräusch des Motors verklungen war, stand er wieder auf. «Jetzt!», sagte er zu Flower.

Das Mädchen griff wieder nach seiner Hand, aber Moses wollte nicht, dass Mommy ihn so sah. «Geh du vor», sagte er zu Flower. Einige Sekunden später klingelte sie.

Zunächst war im Haus keine Reaktion zu hören. Dann wurde irgendwo ein Fenster geschlossen. Schritte. Treppe. Jetzt kamen sie näher.

Eine Frau öffnete die Tür. Schmales Gesicht, rote Brille, Haare glatt und schulterlang. Schwarzes T-Shirt und Blue Jeans. Nicht dumm. Das Lächeln, das sie auf den Lippen hatte, wich einem What-the-fuck-Ausdruck, als sie sah, wer hinter ihrer Tochter stand. Sehr lange sagte sie gar nichts. Aber gerade, als Moses anfangen wollte, irgendetwas zu erklären, fand sie ihre Sprache wieder.

«Du gehst ins Haus!», sagte sie zu Flower. Die drehte sich um und sah Moses in die Augen. Dann ging sie um Mommy herum und drehte sich noch einmal um. «Aber Moses hat gar nichts getan», sagte sie.

«Geh!», sagte Mommy. «Geh in dein Zimmer.» Schritte treppauf, Tür auf, Tür zu.

Mommy stellte sich mitten in den Türrahmen. Sie war nicht besonders groß, aber sie wirkte bedrohlich auf Moses, wie sie ihn fixierte. Langsam stemmte sie die Hände in die Hüften.

«Ich brauche nur Hilfe», sagte Moses leise.

«Wenn du meiner Tochter noch einmal zu nahe kommst ...»

«Aber ...»

«Du bist der, den hier alle suchen. Oder? Ich weiß, was du getan hast. Sie werden dich kriegen. Verlass dich darauf!»

Dann warf sie die Tür zu.

«Aber ...», sagte Moses noch einmal. Er sah sich um. Die Straße war leer. Sicher nicht für lange Zeit. Er brauchte einen neuen Plan. Wo nur Sandi blieb? Ob sie überhaupt kam?

Von oben ein Klopfen. Am Fenster im ersten Stock stand Flower und winkte mit traurigem Gesicht. Moses winkte zurück. Genauso traurig war er auch.

Flower wandte sich plötzlich ab. Sicher war Mommy gerade ins Zimmer gekommen. Er musste hier weg.

72

Die Garagentür fiel wieder ins Schloss. Schritte, die direkt ins Zimmer kamen.

«Aber ich hab das Geld doch da rausgeholt.» Hohe Stimme.

«Guck trotzdem noch einmal nach.» Tiefe Stimme.

Thembinkosi hörte, wie sich jemand auf das Bett setzte und den Reißverschluss des Koffers öffnete. Rumwühlen. Sachen auf den Boden werfen. «Ich sag doch, es ist nicht darin.»

Hohe Stimme. Durch die Schlitze der Schranktür konnte Thembinkosi dessen Schatten sehen. Hohe Stimme saß kaum einen Meter von der Tür entfernt. Er versuchte, nicht zu atmen.

«Dann sag mir, wo es ist.» Tiefe Stimme war ganz ruhig.

«Ich weiß es nicht.» Die Stimme von hohe Stimme wurde noch ein wenig höher.

«Ich sag ja gar nicht, dass du es hast. Aber ich will, dass du dir Gedanken machst. Sag mir, was du denkst.»

«Wie meinst du das?»

Eine Weile lang hörte Thembinkosi gar nichts. Dann atmete tiefe Stimme laut und langsam ein und wieder aus. «Schau mal. Ich will einfach wissen, was geschehen ist. Was hast du mit dem Geld gemacht?»

«Das weißt du doch. Ich habe es in der Küche in die Schublade getan.»

Noch eine Pause. Tiefe Stimme wartete darauf, dass hohe Stimme weiterredete. «Und?», fragte er schließlich.

«Und? ... Da ist es nicht mehr.» Pause. Lange.

«Erklär es.»

«Kann ich nicht.»

Draußen Autos, die ankamen. Türenschlagen.

«Versuch es wenigstens. Versuch es einfach.»

«Scheiße», sagte hohe Stimme.

«Was?»

«Da draußen. Der Hund.»

«Die sind nicht wegen uns da.» Die Stimme von tiefe Stimme wurde leiser. Es hörte sich bedrohlich an.

Stille. Schon wieder. Thembinkosi versuchte, sich vorzustellen, was gerade draußen vor dem Haus geschah. Autos? Klar. Ein Hund? Warum?

«Jemand war hier», sagte hohe Stimme jetzt. Stille. Noch eine Sekunde und noch eine. Und noch eine.

Schranktür öffnen, sich entschuldigen, falscher Ort, falsche Zeit, wir wollen einfach nur raus, nur nach Hause, viel Glück noch mit der Leiche. Und ach ... Hier ist übrigens das Geld. Wirklich keine böse Absicht. Garantiert nicht.

Immer noch Stille. Tiefe Stimme brach sie schließlich. «Genau.»

Hohe Stimme sprang auf. Irgendetwas war in ihn gefahren. «Du denkst doch nicht, dass ich dahinterstecke.»

«Hab ich das gesagt?»

«Nein, aber ...»

Scheiße, dachte Thembinkosi. Wenn das ein Film wäre, würden sie sich jetzt an die Gurgel gehen.

Wenn das ein Film wäre, würde niemand im Schrank stehen. Unglaubwürdig.

«Hast du mit jemandem darüber geredet?»

«Mit dir.»

«Mit jemand anderem?»

«Nein. Natürlich nicht.»

«Wer hat es dann gewusst?»

«Niemand.»

«Hat es jemand mitgekriegt? Gwen?»

«Wie? Sie hört uns zu, wie wir planen, ihre Mutter umzulegen? Wir stellen ihr eine Falle, und sie lässt es zu und kommt dann nach Hause, um sich das Geld selbst unter den Nagel zu reißen?»

«Und Schwiegermama selbst?»

«Sie ist tot. Sie kann das Geld nicht genommen haben.» Hohe Stimme wurde sicherer. Nachlassende Angst. Tiefe Stimme würde ihn nicht umlegen. Jedenfalls nicht sofort.

«Aber sie kann es jemandem erzählt haben. Mein Schwiegersohn sagt, dass er in Schwierigkeiten steckt. Aber ich traue ihm nicht.»

«Und dann? Jemand folgt ihr?»

«Warum nicht?»

«Und wartet, bis sie tot ist, um sich dann das Geld zu sichern.»

«Was hast du ihr denn erzählt?»

«Das weißt du doch.»

«Ich war nicht dabei.»

«Jetzt sind sie wieder weg», sagte hohe Stimme. Er begann, auf und ab zu gehen.

«Ja?» Stille.

«Ach so. Der Hund und die. Die sind wieder weg.» Hohe Stimme. «Ich hab ihr gesagt, dass ich nicht mehr weiterweiß. Und ich hab ihr von dem Tschechen erzählt.»

«Also die Wahrheit.»

«Ja. Nur die Summe nicht. Da hab ich übertrieben. Ein bisschen.»

«Das war ja der Plan. Was hast du ihr über den Tschechen erzählt?»

«Die Wahrheit. Dass er Gwen entführt und vergewaltigt und in Stücke schneidet.»

«Wenn er sein Geld nicht zurückkriegt.»

«Wenn er sein Geld nicht zurückkriegt.»

73

Schwere Beine. Moses drehte sich zur Straße und dachte, dass er in seinem ganzen Leben nie wieder laufen konnte. Wie sinnlos das hier war. Wovor rannte er überhaupt weg? Ein verarmter Weißer, der die politische Umstellung nicht verkraftet hatte. Ein Hausmeister, dessen Aufgabe es war, Wasserhähne zu reparieren. Ein paar Security-Leute, die den Unterschied zwischen Demokratie und Diktatur nicht verstanden. Sie machten sowieso einen Job, der keinen produktiven Wert hatte.

Reiß dich zusammen, sagte er sich. Alle machen nur ihre Arbeit, wollen nur überleben. Außer dem Weißen mit dem Stock. Und dann war da noch die Polizei. Die waren auch hinter ihm her.

Er wollte nicht mehr laufen.

Rechts die Straße runterschauen. Leer. Links. Leer.

Wie kam er nur hier raus?

Noch einmal rechts die Straße runterschauen. Scheiße. Der Weiße mit dem Stock. Und er hatte ihn schon entdeckt.

Also nach links. Von da kam ein Security-Wagen. Dieser Bakkie wieder.

Moses drehte sich um und lief. Am Haus von Flower vorbei zur Mauer. Und dann nach links hinunter. Richtung Ausgang. Aber ein paar Häuser weiter stand eine Uniform im Garten. Mit dem Rücken zu ihm. Rief etwas. Irgendetwas. Hatte ihn bestimmt schon gesehen.

Moses drehte sich erneut. Rannte in die andere Richtung.

Schon wieder die falsche Richtung. Weg vom Ausgang. Weg von der Rettung. Weg von Sandi. Ob sie unterwegs war?

74

Ludelwa Tontsi stand immer noch neben dem Central-Alert-Wagen, als der Hund die Türschwelle abschnüffelte. Sie dachte an ihre Mutter und daran, was die ihr geraten hatte. Lieber eine schlecht bezahlte Arbeit als gar keine. Und schlecht bezahlt war sie. 2200 Rand erhielt sie für einen ganzen Monat Arbeit. Sechs Tage die Woche, zwölf Stunden am Tag. Wenn sie die dreihundert Rand für den Shack in Duncan Village und das ständige Taxifahren zur Zentrale davon abzog, blieb ihr kaum noch genug zum Essen. Brot, Milch und der Instantbrei am Morgen ... Und schon konnte sie den monatlichen Besuch bei ihrer Familie in Mnyameni vergessen. Die 150 Kilometer hatten auch ihren Preis. Dann musste sie Mutter manchmal darum bitten, ihr etwas Geld zu schicken, sodass die dann die Fahrt von ihrer Rente bezahlte.

Jetzt kam der Hund aus dem Haus heraus. Der schwarze Polizist direkt hinter ihm. Dann der weiße Polizist. Der alte Mann, dem das Haus gehörte, blieb im Türrahmen stehen.

Ihr Telefon klingelte. Sie sah auf das Display. Der Juniorchef. Sie nahm das Gespräch an.

«Ludelwa?»

«Hm.» Klar war sie das. Er hatte sie ja angerufen.

«Du bist noch an dem Haus von dem alten ... Mr. – wie heißt er noch? – Foster?»

«Ja.»

«Der Hund da?»

«Die kommen gerade wieder raus.»

«Gut. Ich möchte, dass du mit denen gehst. Wenn da gleich irgendetwas geschieht, will ich, das wir dabei sind.»

Stevie van Lange machte eine kurze Pause. «Klar? Ich will nicht, dass die Polizei hinterher sagt, von uns sei niemand zu sehen gewesen.»

«Ja», sagte Ludelwa.

«Okay, du bleibst also bei denen.» Van Lange beendete das Gespräch. Einen Rat hatte ihr Mutter mit auf den Weg gegeben. Bei einer Arbeit, die so schlecht bezahlt ist, wartest du immer, bis dir jemand sagt, was du zu tun hast. Komm ja nicht auf die Idee, selbst aktiv zu werden. Dafür hast du Vorgesetzte. An diesen Rat hatte sich Ludelwa immer gehalten.

Der Hund ging voran. Die beiden Polizisten hinter ihm. Sie sagten kein Wort. Ludelwa überlegte kurz, ob sie ihnen zu Fuß folgen sollte. Dann setzte sie sich in den Wagen und folgte ihnen im Schritttempo.

Der Weiße blickte sich um, als er begriff, dass sie hinter den beiden war. Der andere schaute nur auf den Hund. Das Tier hatte seine Nase am Boden und bog gerade in eine Straße ein, die nach rechts führte. Dann stoppte es kurz und ging zurück, als hätte es sich geirrt. Die beiden Männer immer kurz hinter ihm. Der Hund blieb stehen, drehte sich erneut und ging dann doch in die Straße hinein.

Jetzt schien sich der Hund ganz sicher zu sein. Hundert Meter vor ihr konnte sie einen weiteren Wagen der Firma sehen. Der Hund ging auf ihn zu und blieb dann stehen. Die beiden Polizisten sahen einander an, dann grüßten sie den

Kollegen im Central-Alert-Auto. Ludelwa erkannte nicht, wer am Steuer saß.

Für einige Sekunden schien die Zeit stillzustehen. Wie der Hund gerade, der sich nicht mehr rührte. Wie auch die beiden Polizisten, die darauf warteten, dass der Hund etwas tat. Dann drehte sich das Tier und machte ein paar Schritte auf eines der Häuser zu. Blieb wieder stehen.

Und dann fing der Hund an, laut zu bellen. Sicher war es ihm auch zu warm.

75

Moses sprang über eine halbhohe Hecke. Zu viel Aufwand, zu viel Kraft, dachte er sich. So hoch musste er nicht springen. Aber hinfallen wollte er auch nicht noch einmal. Rasen, Mäuerchen, ein Beet, Rasen, noch eine Hecke. Hinfallen bedeutete, Zeit zu verlieren. Und sich weh zu tun.

Wie sinnlos das alles war. Er hatte doch gar nichts getan. Noch eine kleine Mauer, Wiese mit Blumen, Kinderspielzeug, ein breites Beet, ein langer Sprung, auch über die nächste Hecke, irgendetwas mit Dornen. Nur nicht hängenbleiben. Nur nicht dort hineinfallen. Okay ... Die beiden Häuser. Der Security-Mann mit dem Bein. Und der andere mit den ... er wollte gar nicht daran denken. Der Tritt zwischen die Beine musste ihm sehr weh getan haben.

Beim Gedanken daran, was er bei dem Tritt angerichtet haben konnte, wurde Moses schlecht. Vorn der Knick in der Mauer, dann hatte er den Nahoon wieder erreicht. So weit weg vom Eingang wie nur eben möglich. Kurz blieb er stehen. Umdrehen, die Uniform war ihm auf der Spur, aber langsam. Von irgendwo kam eine Polizeisirene näher. Weiter entfernt hörte er eine zweite. Ein Hund bellte wie krank. Fern. Er wischte sich den Schweiß aus dem Gesicht und blickte an sich hinab. Die Hose war eingerissen und schmutzig. Zum Glück hatte er am Morgen seine Adidas angezogen. Eigentlich waren die viel zu warm, aber beim Kistenschleppen hatte er sich sicher sein können, damit nicht auszurutschen. Jetzt war er froh, Schuhe anzuhaben, in denen er laufen konnte. Das T-Shirt war noch erstaunlich gut erhalten. Paar Flecken, Erde, Schweiß, ein Riss. Seine Unterarme waren schmutzig. Er wischte sie an der Jeans ab. Weiter. Die Sirenen kamen näher.

Noch zwei Gärten bis zum 90-Grad-Winkel, dann am Fluss entlang. Irgendwo, dachte er, musste es eine Möglichkeit geben, dieser Schleife zu entkommen. Weglaufen, entkommen, entdeckt werden, weglaufen, entkommen. Irgendwann. Bald, dachte er auch. Sonst kriegten sie ihn. Sie waren schon jetzt viele. Und sie wurden immer mehr.

Noch eine Hecke, der Rasen, die Geschwindigkeit runterfahren, um die Ecke laufen, Tempo wieder aufnehmen, fuuh, die Mauer war aber hoch, richtig abspringen, gutgegangen, aufkommen, kurz straucheln, wieder fangen, weiter.

Gesehen hatte er gar nichts. Es kam wie aus dem Nichts. Ein Angriff wie im Krieg. Er war gerade dabei, den nächsten Sprung anzupeilen, als ihm die untere Körperhälfte weggerissen wurde. Da war gar nichts, was er tun konnte. Da war diese eine Bewegung, das war seine, und da war auch die andere, die kam von irgendwo. Und die war viel stärker.

Es riss ihn um, und er purzelte über einen Rasen, entging mit dem Kopf nur knapp einem Skateboard und landete dann in Muttererde. Mit dem Gesicht zuerst.

Die Erleichterung, sich nichts gebrochen zu haben, dauerte weniger lang, als ein Blitz hatte, in einen Baum zu fahren. Was auf Moses landete, war schwer und grunzte.

«Bastard!»

Moses ging die Luft zum Atmen aus. Das Ding auf seinem Rücken hieb auf ihn ein.

«Bastard!» Schon wieder.

«War doch klar, dass wir dich kriegen. Raus kannst du ja nicht.»

Während Moses versuchte, wieder Luft zu holen, wickelten sich nackte Arme und Beine um ihn. Scheiße, dachte er. Der Referee.

Die Arme waren Arbeiterarme, stramm und muskulös. Was ihnen an Flexibilität fehlte, machten sie wett durch schiere Kraft. Die Beine quetschten seine eigenen ein. Luft hatte er jetzt wieder, dafür konnte er sich kein Stück mehr rühren.

Die Sirenen waren nah. Eine hatte gerade irgendwo gehalten.

Sie lagen jetzt beide auf der Seite. Eine Faust des Referees hieb auf seine Brust ein, seine Beine zogen sich mehr und mehr zusammen. Wie alt war der Mann? Bestimmt kurz vor der Pension. Beweglich war der nicht. Aber trotzdem konnte Moses kein Glied rühren. Wie sollte er sich nur befreien? Wenn noch andere hinzukamen, war er endgültig gefangen.

Moses erinnerte sich daran, was ihm eben zur Polizei eingefallen war. Keine schöne Aussicht. Er versuchte noch einmal, sich zu bewegen.

Ein Arm. Ein bisschen. Hoffnungslos. Der andere. Keine Chance.

Die Beine. Irgendetwas musste doch gehen. Der Referee stöhnte hinter ihm. «Warte nur ab. Gott hat für jeden ein Schicksal vorgesehen. Deines ist das Gefängnis.»

Nein!, dachte Moses. Ein einziger Körperteil war relativ frei. Den konnte der Referee nicht auch noch kontrollieren. Man kann den Kopf nicht nur zum Denken benutzen, dachte Moses. Er holte tief Luft, als irgendwo, nah, sehr nah, Reifen quietschten. Die Uniform, die er eben gesehen hatte, konnte auch nicht mehr weit sein. Höchste Zeit, sagte er sich. Er neigte den Kopf so weit wie möglich nach vorn. Er lag jetzt halb auf der Seite und halb auf dem Bauch. Die Stirn war im trockenen Beet, und er drückte sie so weit hinein, bis er auf Widerstand stieß. Dann sammelte er sich für zwei Sekunden.

Und warf den Schädel so mächtig nach hinten, wie er eben konnte. Tiefes Knacken. Durchdringend. Dann ein zuckender Schmerz im Kopf.

«Ach!», hörte er die Stimme vom Referee. Gleichzeitig ließ ihn der Mann los, oben wie unten. Moses befreite sich von den schlaffen Armen und Beinen.

Feuchtigkeit im Rücken. Das Blut des Referees. Er hatte richtig getroffen.

Als er aufstand, sah er den Mann am Boden liegen. Er litt Schmerzen, und aus der Nase blutete er, als hätte sie ihm jemand abgeschnitten. Moses fasste sich an den Hinterkopf, der auch weh tat. Aber er wusste, wer von beiden mehr litt.

Der andere tat ihm leid. Wie unnötig das war. Jetzt fing der Referee auch noch an zu wimmern. Alle Stärke verloren, alle Sicherheit dazu.

Reiß dich zusammen, sagte sich Moses. Der würde sich nicht um dich sorgen. Verschwinde.

Verschwinde jetzt! Sofort!

Moses konnte nicht. Die Beine waren wie tot. Hinter dem Winkel in der Außenmauer Stimmen. Leise, aber aufgeregt.

Seine Uhr war kaputtgegangen. Ein Sprung im Glas. Er konnte aber immer noch erkennen, wie spät es war. 14 Uhr 36.

Die Beine mussten. Er schob sich über die nächste Mauer und robbte mehr, als dass er lief, zur nächsten. Zog sich auch da rüber und ließ sich fallen. Er war komplett leer.

Verborgen, wie er war, sah er, wie zwei Uniformen sich bückten und den Referee betrachteten.

Weiter, Moses.

76

«Wer hat noch einen Schlüssel?»

«Niemand.»

«Denk nach.»

«Da ist eine Verwaltung», hörten sie hohe Stimme. «Sicher hat da jemand einen Schlüssel. Ein Duplikat. Wir haben ja von denen gemietet.»

«Das Haus gehört euch gar nicht?»

«Leuten, die irgendwo im Ausland arbeiten. Saudi-Arabien. Oder Afghanistan. Die Verwaltung von ‹The Pines› vermietet für die.»

«Unwahrscheinlich.»

«Sag ich doch.»

Stille. Niemand sagte ein Wort. Keine Schritte. Thembinkosi platzte fast im Schrank. Es war so heiß. Der Schweiß lief in Strömen an ihm herab. Wenn sie doch nur weiterreden würden.

«Ich hab es wirklich nicht.»

«Wenn ich das glauben würde ...»

«Was?»

«Nichts.»

Draußen fing ein Hund an zu bellen.

«Und wann will der Tscheche das Geld?»

«Übermorgen.»

«Im Restaurant?»

«Hmhm.»

«Warum musstest du auch ein Restaurant aufmachen? So eine Scheißidee.» Der Hund hörte nicht auf.

77

Als Shaka Zulu anschlug und nicht aufhörte zu bellen, schnitt Meli gerade an dem kleinen Jasminstrauch herum. Er musste die Zeit strecken, um sein Bleiben zu rechtfertigen, also widmete er sich der Aufgabe mit großer Leidenschaft. Bis vier Uhr musste er etwas zu tun haben, dann konnte er an Mrs. Viljoens Tür klopfen, um ihr zu sagen, dass er für heute fertig war. Dieser Hund bellte ohne Pause. Meli dachte, dass es mit all den Security-Leuten und der Polizei zu tun haben musste. Aber ganz genau wusste er es nicht. Es ging ihn auch nichts an. Auf ihn sahen sowieso alle herab, die eine Uniform trugen.

Bismarck van Vuuren lauerte hinter einer Mauerecke, die zwei Grundstücke symbolisch voneinander trennte. Er konnte sich nicht ganz genau erklären, warum der Hund begonnen hatte, so bescheuert zu bellen. Schließlich war der Junge ganz in der Nähe, und dafür war der Hund doch gebracht worden – den zu finden. Jetzt hatte er ihn aber selbst gefunden. Und beschlossen, ihm dieses Mal den Weg abzuschneiden, anstatt ihm nachzulaufen. Der war sowieso viel schneller. Bald hatte er ihn. Er musste einfach nur warten. Sehen konnte er ihn auch schon.

Während Shaka Zulu sich verausgabte, stand Sandi weit entfernt von «The Pines» in Southernwood in einem Hinterhof. «Du kannst den mitnehmen, wie er ist», sagte Sy, der Cousin von einem Freund. «Er ist nicht mehr neu, aber das siehst du ja. Ich hab ihn so gekauft und weiß noch nicht, was ich damit machen will. Schnäppchen. Tanken musst du», sagte Sy. «Und bring ihn so wieder, wie er ist.»

Jay-Jay Dlomo hatte Shaka Zulu noch nicht oft so anschlagen hören. Letztlich, dachte er, waren Hunde eben doch keine Menschen, und man konnte nicht in sie hineinsehen. Aber konnte man das bei Menschen? Er legte seine Hand auf den Kopf des Tieres und hoffte, dass es ihn beruhigen würde. Der Hund hatte seinen Job getan. Der Flüchtige verbarg sich wahrscheinlich im Haus. Er sah Bezuidenhout telefonieren, sicher rief er Verstärkung. Das war nicht mehr sein Job. Er musste nur Shaka Zulu beruhigen und dann konnte er verschwinden. Aber der Hund bellte einfach weiter. So kannte er ihn gar nicht.

«Dad, was machen wir?» – «Wir kriegen ihn bald. Das machen wir.» – «Ja ... Aber das dauert schon ganz schön lange. Und wir haben ... warte ... sechs Autos da und, Moment ... zwölf Leute da, ohne dich. Die fehlen uns woanders.» – Danke, dass du mich erinnerst. Genau das brauch ich jetzt.» – «Sorry, Dad. Du bist ja vor Ort. Aber was machen wir? ... Dad?» – «Warte. Hier hat der Hund angefangen zu bellen. Polizei hat den angefordert. Ich schau mir das mal an und melde mich später wieder.»

Vor Hunden hatte Flower Angst. Aber sie wusste instinktiv, dass sie jetzt da draußen sein wollte. Der bellte an einem Stück. Ob das auch mit Moses zu tun hatte? Kurz überlegte sie, ob sie aus dem Fenster klettern sollte. Aber Mommy kam gleich hoch und wollte, dass sie Obstsalat aß. Das würde so einen Ärger geben. Der hörte nicht auf, der Hund.

Willie hörte den Hund. Das ging jetzt schon eine Minute so, oder länger. Er war wieder einmal am falschen Ort. Aber er musste ja nur dem Bellen folgen. Vielleicht ergab sich ja eine Gelegenheit, nützlich zu sein. Eine kleine Heldentat am Rande. Der schwarze Junge auf der Flucht, und er würde ihn stellen. Und schließlich würde ihm van Lange, das arrogante Arschloch, doch eine Stelle anbieten. Eigentlich wollte er dem Jungen am liebsten in den Kopf schießen. Er hatte lange schon keinen Schwarzen mehr umgelegt.

Mrs. Viljoen beobachtete Meli, als der Hund anfing zu bellen. Man musste sie immer kontrollieren. Und diesen Busch da … Den schnitt er so aufreizend langsam, dass sie Lust hatte, ihm zehn von den hundert Rand abzuziehen, die sie ihm gleich geben musste.

«Madam», kam er dann immer, nachdem er an die Tür geklopft hatte. «Ich bin dann fertig.» Wenigstens wartete er draußen. Nicht wie der Letzte, der immer gleich reinkam, obwohl er doch nichts, aber auch gar nichts, im Haus verloren hatte. Sollte er die hundert Rand haben. Und wenn es nur für den Respekt war, den er ihr gegenüber zeigte. Dieser Hund … Was nur los war?

Warren Kramer hielt die Hand aus dem Auto raus, grüßte den Central-Alert-Mann, der am Tor von «The Pines» stand. Man kannte ihn hier. «Was gibt's Neues?», fragte er. – «Hier kriegt man ja nicht viel mit», sagte der Mann in der Uniform. Er war kräftig und schwitzte sehr. Eine Kollegin in Uniform saß im Schatten der Mauer. Sie sprang auf, als sie den Juniorchef sah. Fern begann irgendwo, ein Hund zu bellen. Alle drei hörten hin. Das Bellen hörte nicht auf.

«Wo ist das?», fragte Kramer. Der Uniformierte zeigte unbestimmt nach «The Pines» hinein. «Polizeihund. Eben gebracht worden. Das ging aber schnell … Ich meine, wenn die den jetzt schon haben.» – «Ich fahr da mal hin und schau mir das an.» Kramer versuchte, dem Bellen zu folgen, während er den Wagen in die Gated Community hineinsteuerte. Vielleicht war er völlig umsonst gekommen.

«Macht schneller, Jungs!» Rob van der Merwe stand im Schatten eines dürren Bäumchens und dachte daran, dass sie den letzten Auftrag noch vor sich hatten. Eine Kleinigkeit eigentlich, aber in Amalinda, das war ein paar Kilometer weit weg. Und gleich fing der Berufsverkehr wieder an, und sie hatten noch eine gute Stunde hier vor sich. Irgendwie würden sie das schon schaffen, und wenn die Jungs Überstunden machten. Er klatschte in die Hände. «Los, Tempo!» Ein Hund fing ganz in der Nähe zu bellen an. Tiefes Bellen, ganz wie sein Rhodesian Ridgeback, ein großartiges Tier. Auf die konnte man sich verlassen. Und ganz leise waren sie. Nur wenn jemand auf sein Farmgelände eindrang, dann konnte Bobby wirklich ungemütlich werden. Der Hund hier aber war alles andere als leise. Wie die Nachbarn den nur aushielten. Und er hörte nicht auf. Van der Merwe wurde neugierig. Das musste doch Ärger geben. So weit war das gar nicht weg. Er würde sich das ansehen, klatschte noch einmal in die Hände. «Jungs, Rauchpause! Zehn Minuten, dann alle wieder an ihren Platz. Und Mcebisi ... du kannst jetzt nach deinem Tuch gucken. Bist du sicher, dass du das noch hattest, als wir hier reingefahren sind?»

Der schwarze Polizist kniete neben dem Hund, als Ludelwa aus dem Auto stieg. Sie wollte sich mit dem Kollegen im anderen Central-Alert-Wagen absprechen. Den alten Mann zu bewachen, erschien ihr sicherer, als hier mit den Männern darauf zu warten, dass die Jagd auf den Jungen weiterging. Sie klopfte an die Fahrertür. Den am Steuer kannte sie nicht. Aber die Firma beschäftigte so viele Leute, dass das ganz normal war. Der Mann war älter als sie und schwer. Er sah sie nicht an, als er redete. «Wir sollen warten. Verstärkung kommt.» Er sprach gutes Englisch, dachte Ludelwa. Und er war kein Xhosa.

Shaka Zulus Bellen konnte Happiness nicht hören, denn

sie hatte nur stumme Bilder zur Verfügung. Sie ahnte nicht einmal, dass der Hund bellte. Die Bilder, die sie kontrollierte, deckten die Gegend nicht ab, wo er stehen geblieben war. Eines aber wunderte sie. Ihr Eindruck war doch gewesen, dass der Junge, den sie eben noch gesehen hatte, eher in der Nähe des Flusses war. Ein kurzer Ausschnitt nur, er war nur durch das Bild geflitzt – vielleicht hatte er ja gewusst, das da eine Kamera war. Aber die Truppen waren gerade alle unterwegs mitten ins Zentrum von «The Pines». Das hatte sicher seinen Grund. Nur ganz kurz hatte sie erwogen, Warren anzurufen oder den jungen van Lange. Aber alles hatte seine Richtigkeit, davon war sie überzeugt.

Als Shaka Zulu anfing anzuschlagen, lenkte Police Inspector Vukile Pokwana den City-Golf um den letzten Kreisel vor Dorchester Heights. Beinah wäre er gegen den Bordstein gefahren, weil er nur eine Hand am Lenkrad hatte. Keine Servolenkung. Der Wagen war der letzte gewesen, der noch frei gewesen war, und besser so einer, der als Polizeiwagen erkennbar war, als sein Privatwagen. Er hatte kein gutes Gefühl bei dieser Sache. «Ich bin gleich da, ja», sprach er ins Telefon, während er den VW in der Spur hielt. «Und ich hab die Station in Cambridge gebeten, uns mehr Manpower zu schicken. Kann doch nicht sein, dass uns so ein Idiot den ganzen Tag versaut … Hmhm … Wie gesagt, ich bin gleich da.»

Der Scheißhund. Warrant Officer Bezuidenhout wandte sich ab und hielt sich die Ohren zu. Er musste nachdenken. Der Junge war in dem Haus hier, und weil der Hund nicht aufhörte rumzubellen, wusste er auch genau, dass sie ihm auf den Fersen waren. Das Haus stürmen war eine Möglichkeit. Ihn aufzufordern rauszukommen, eine andere. Und Verstärkung holen, sodass nichts schiefgehen konnte. Noch ein Security-Wagen kam um die Ecke dahinten gefahren. Dabei war das spätestens jetzt Sache der Polizei. Die waren damit doch komplett überfordert. Hatte er seine Dienstwaffe überhaupt geladen? Er zog das Ding aus dem Holster und schaute sie an. Dieser Scheißhund.

78

Schon wieder eine Hecke, schon wieder eine Mauer. Moses sprang und lief. Er wusste, dass er weg von der Mauer musste. Hier konnten ihn die Uniformen, die den Referee gefunden hatten, immer noch sehen. Und wer weiß ... Wenn einer von denen eine Pistole hatte ...

Moses machte einen Sprung zur Seite, lief ein paar Schritte in Richtung Straße und hockte sich hin. Vor ihm eine hüfthohe Mauer und ein Blick tief in die Mitte der Gated Community. Viel Bewegung. Er konnte eine Straße sehen, die von ihm wegführte. Er sah von hinten zwei Security-Uniformen laufen. Ein silber-blauer Central-Alert-Wagen kam näher, bog ab und folgte ihnen. Von links kam ein Kleinwagen. Hoffentlich wollte der nicht hier neben ihm parken. Eins, zwei, drei ... Der Wagen fuhr weiter. Als der Kleinwagen gerade auf ein anderes Grundstück abgebogen war, erschien ein Polizeiauto. Bog auch in die Straße ein, die mitten in «The Pines» hineinführte.

Die beiden Uniformen tauchten auf, die sich eben über

den Referee gebeugt hatten. Sie hatten ihn untergehakt. Er blutete im Gesicht, sein blaues T-Shirt war rot, er wirkte alt. Die drei waren langsam unterwegs. Eine der beiden Uniformen, es war der Schwere, der ihm eben nicht hatte folgen können, telefonierte. Die Stimme konnte er hören, verstehen konnte er ihn noch nicht.

Was mochte geschehen sein? Warum interessierte sich niemand mehr für ihn? Was konnte schlimmer sein als ein junger Schwarzer, der raubt und vergewaltigt? Besser: Wer?

Jetzt war er zu verstehen. «... der Hausmeister ... kommen jetzt auch ... gut ... mir auch entkommen ... das Schwein ... gleich haben wir ihn ...»

Moses verstand nicht, was die Uniform redete. Der Hund hörte nicht auf zu bellen. Verrückt. Dann hörte er ein anderes Geräusch. Ein ganz anderer Klang. Und obwohl er wusste, dass diese Dinger immer anders klangen als im Fernsehen und im Kino ... Er wusste, das war ein Schuss.

Moses wartete, was passieren würde. Dann hörte er noch einen. Und dann noch einen.

Die drei Männer waren jetzt direkt vor ihm. «Jetzt schießt er auch noch auf uns», sagte der Dicke.

79

Die beiden im Zimmer waren ganz leise. Der Hund draußen war es nicht. Er kläffte ohne Pause. Thembinkosi war nass vor Schweiß und wollte nur noch raus. Raus aus dem Schrank, raus aus dem Zimmer, raus aus dem Haus, raus aus der Gated Community.

Sie mussten sich überlegen, ob sie so weitermachen konnten. Nach heute.

«Was soll das?» Hohe Stimme überschlug sich fast. «Guck mal, der bellt das Haus an. Was soll das?»

«Ich weiß es nicht.» Tiefe Stimme war ruhig wie immer, aber er begann, die Worte zu dehnen. Thembinkosi konnte die Anspannung in seinen Worten spüren.

«Aber was will der Hund denn hier? Warum haben die überhaupt einen Hund hier?»

«Sei leise. Ganz leise. Verstehst du mich? Ich will, dass du nichts mehr sagst. Keinen Ton mehr. Kein Wort. Kannst du das?»

«Aber ... Ich meine ...»

«Kein Wort!» Tiefe Stimme war kaum noch hörbar, so leise hatte er gesprochen.

«Okay.»

Der Hund bellte an einem Stück.

«Da draußen», sagte tiefe Stimme, «da stimmt irgendetwas nicht.»

«Sag ich doch.»

«Und ich sag dir, dass du schweigen sollst!» So laut hatten sie tiefe Stimme noch nicht gehört.

«Okay.»

«Der Hund kann nichts dafür. Er hat eine Spur verfolgt. Und die Spur führt eben hierhin. Mit uns hat das nichts zu tun. Du kannst gern reden, ich hab nichts dagegen. Sag etwas, wenn du mir widersprechen willst.»

Hohe Stimme sagte nichts.

«Gut.»

Draußen tat sich viel. Der Hund machte einfach weiter. Autos stoppten. Türen wurden zugeschlagen. Thembinkosi hörte Stimmen, die hektischer wurden. Der Hund hörte auf.

«Endlich», sagte hohe Stimme.

Sofort begann der Hund wieder. Er hatte nur Luft geholt.

«Scheiße», sagte hohe Stimme. Der Hund bellte ohne Pause.

«Scheiße!», sagte hohe Stimme schon wieder. Aber es hörte sich ganz anders an. Nicht fatalistisch wie eben. Nicht resigniert. Nicht als Kommentar zu etwas, das alle schon kannten und längst gesehen hatten. «Scheiße!», sagte er schon wieder. Und sein Ton veränderte sich von Aufregung zu Panik.

«Lass das!», sagte tiefe Stimme.

«Aber guck doch!»

«Aber der sieht uns nicht. Lass das!»

«Das ist eine Pistole. Der hat eine Pistole in der Hand.»

«Ich sehe, dass das eine Pistole ist. Aber das hat immer noch nichts mit uns zu tun.» Tiefe Stimme versuchte, cool zu bleiben. Es gelang ihm mit Mühe. «Steck. Das. Ding. Weg.»

«Ich lass mich hier nicht abschlachten.»

Draußen zielte einer mit einer Waffe auf das Haus, so viel hatte Thembinkosi verstanden. Und einen Meter oder zwei von ihm entfernt zielte einer auf den draußen. Er musste etwas tun. Irgendetwas.

«Steck sie wieder ein.»

«Du hast mich lange genug herumkommandiert.» Schritte auf und ab. Jemand springt. Einer fällt.

«Hör auf.»

«Siehst du?»

«Wir müssen überlegen, wie wir hier rauskommen.»

Thembinkosi öffnete die Schranktür. Er sagte nichts.

Hohe Stimme stand mit einer Waffe in der Hand über tiefe Stimme. Hohe Stimme war der dünne Mann mit blonden Locken, die zu viel Sonne gesehen hatten. Ausgewaschene Jeans, graues Polo-Shirt, Sneakers. Tiefe Stimme war der Kräftigere, keine Waffe in der Hand.

Kahler Kopf, weißes T-Shirt mit Meereswelle, dunklere Jeans, Lederschuhe. Er hatte sich die beiden nicht so heruntergekommen vorgestellt.

Sie hatten sich nicht vorgestellt, dass jemand im Schrank war.

Hohe Stimme richtete die Waffe auf Thembinkosi. Tiefe Stimme sprang auf und griff ihm in den Arm.

Hohe Stimme schoss.

Der Schuss drang durch das Fenster.

Nach dem Schuss und dem Klirren herrschte eine Sekunde lang totale Stille. Vielleicht auch länger. Sogar der Hund war ganz leise.

Dann hörte die Stille wieder auf.

80

Es war wie ein schlechter Dialog. Erst der eine Schuss, dann der nächste, und der dritte folgte im gleichen Abstand. Und dann redeten alle auf einmal. Moses war einmal in eine Schießerei geraten, die sich an einer Tankstelle entwickelt hatte. Schiefgegangener Überfall. Alle, die unterwegs waren, hatten sich versteckt, so gut es ging. Am Ende hatten die vier Räuber, zwei Polizisten und zwei Schulkinder tot am Boden gelegen. Nie würde er das vergessen. Vor allem, weil er mitten im Geschehen gewesen war. Er hatte sich unter einem Lieferwagen versteckt gehalten und gehofft, dass der Tank des Wagens nicht getroffen wurde. Der Tag, an dem er dem Tod am nächsten gewesen war.

Aber das war nicht zu vergleichen mit dieser Situation hier. Damals hatte er unter dem Lieferwagen gelegen und Schüsse gehört, einzelne Schüsse. Hier waren kaum einzelne Schüsse zu identifizieren.

Die drei Männer hatten sich sofort auf den Boden geworfen. Selbst der Referee, der sich eben noch hatte stützen lassen, war ganz lebendig geworden in der Angst um sein Leben. Ein paar Sekunden dauerte es, bis die drei begriffen hatten, dass die Schüsse weit entfernt fielen. Sie standen wieder auf und suchten Schutz hinter einer schulterhohen Mauer. Dann liefen sie in Etappen zum nächsten Schutz, der sich anbot. Immer näher an die Ballerei heran.

Der Referee hinterließ eine Blutspur.

81

Der erste Schuss, nicht der, der hinausging, sondern jener, der hereinkam, brachte das schon beschädigte Fenster zum Zerbersten. Der nächste Schuss schlug irgendwo ein, aber Thembinkosi fragte sich nicht lange, wo.

Als hohe Stimme die Waffe auf ihn gerichtet hatte, war er zurückgewichen. Und als diese ersten beiden Schüsse draußen fielen, war er noch im Fallen. Der Kopf fiel gegen die Schrankwand, als Thembinkosi vergeblich versuchte, sich mit den Händen irgendwo abzustützen. Der Aufprall tat weh, sehr weh. Aber mehr noch als der eigentliche Schmerz erschreckte ihn Nozipho, die aufschrie. Sie musste gedacht haben, dass er getroffen worden war.

Gleichzeitigkeiten. Thembinkosi fiel tiefer in den Schrank hinein. Von draußen kamen jetzt viele Schüsse. Tiefe Stimme sprang zur Seite, um ihnen zu entkommen. Dabei zog er irgendwoher eine riesige Waffe. Und er blickte in Thembinkosis Richtung – wenn ich nicht etwas anderes zu tun hätte, dann würde ich dich erschießen. Während Thembinkosi mit dem Oberkörper im Schrank aufkam, rief er: «Bleib drin. Duck dich!»

Ducken war, was die beiden anderen taten, aber ihnen hatte sein Rufen nicht gegolten. Schüsse und Salven flogen ins Zimmer, und die beiden Männer wagten sich nicht aus der Defensive. Zu massiv war die Antwort auf den einen Schuss gewesen, den hohe Stimme abgegeben hatte. Thembinkosi zog die Beine an und versuchte, sich ganz im Schrank zu verbergen. Als er gerade die Tür hinter sich zuziehen wollte, zerfetzte eine Salve deren oberen Teil.

«Stopp!», kam eine laute Stimme von draußen. Er wusste nicht, ob sie die beiden Weißen meinte, die sich im Zimmer verborgen hielten, oder die auf der Straße, die ins Haus hineinschossen. Langsam ebbten die Schüsse ab. Einer schlug noch in einer Wand im Zimmer ein, dann war erst einmal Ruhe.

82

Moses sah dem blutenden Referee und den beiden Uniformen hinterher. Der Dicke, der so schwer über die Mauern gekommen war, hatte sichtlich Mühe, den anderen beiden zu folgen. Die zweite Uniform rannte voraus, dann folgte der Referee, der sich mit einer Hand den Kopf hielt und den anderen Arm ausgestreckt hatte, um das Gleichgewicht zu halten. Die beiden schauten sich um, als sie sich hinter einem Auto versteckten, das vor einer Garage geparkt war, und warteten auf die Nummer drei.

Einerseits gut, dachte Moses. Die Aufmerksamkeit galt nicht mehr ihm. Irgendwer hatte irgendetwas getan. Ihn zu jagen, war nicht mehr dringend. Zieh dich zurück. Geh den weitesten Weg an der Mauer entlang zum Ausgang. Versuch zu entkommen. Andererseits ...

Vielleicht war es gut zu wissen, was dort geschah. Möglicherweise half es zu wissen, was so wichtig war. Half, zu entkommen.

Die Schüsse hatten aufgehört.

Moses sah sich um. In der Ferne stand irgendwo der Briefträger, der mit jemandem redete, der von einem Baum verdeckt war. Unmöglich zu erkennen, um wen es sich handelte. Ein Polo tauchte neben den beiden auf, hielt, Fenster senkte sich, kurze Kommunikation, Polo fuhr weiter, hielt dann vor einem Haus. In der anderen Richtung war nichts zu erkennen.

Moses rannte über die Straße und in jene hinein, in die

die drei eben verschwunden waren. Sie hatten schon einen großen Vorsprung. Er nutzte die erste Gelegenheit, sich hinter einem dichten halbhohen Busch zu verbergen.

Eines musste er unter allen Umständen vermeiden: von den dreien dabei gesehen zu werden, wie er sie verfolgte.

83

Es war nicht wirklich ruhig. Wenigstens nicht lange.

Kein bisschen. Leute schrien herum. Der Hund bellte wieder. Mehr als nur eine Polizeisirene war zu hören, wenn auch weit weg. Nah hörte Thembinkosi das Atmen der beiden Weißen, so laut wie ein Kraftwerk, und hinter ihm weinte Nozipho. Ein Weinen voller Angst und Verlorenheit.

Das war gut. Wenn sie so weinte, war sie am Leben.

Thembinkosis Sicht war verdeckt von der halb zerschossenen Schranktür. Aus dem Fenster konnte er nicht hinaussehen. Er lag halb im Schrank und halb draußen, die Arme über dem Kopf verschränkt, und versuchte, die beiden Weißen zu entdecken. Hohe Stimme lag zwischen Bett und Fenster, Bauch auf dem Boden. Er sah kein Blut. Tiefe Stimmes Kopf sah er auch auf dem Boden, von ihm weggedreht. Keine Bewegung zu sehen bei beiden.

«Wir gehen rein», sagte eine Männerstimme von draußen.

«Auf gar keinen Fall!» Andere Männerstimme.

Der Hund bellte.

«Carl?», sagte hohe Stimme leise. «Carl?»

«Hm!»

«Bist du in Ordnung?»

«Hmhm!»

Thembinkosi wusste nicht, ob das eine gute Nachricht war oder eine schlechte. Beide rührten sich keinen Millimeter, aber sie lebten. Was bedeutete das?

Wenn sie tot waren, gab es für die da draußen keinen Grund mehr zu schießen, dachte er.

Außer auf Nozipho und ihn. Würden die erst fragen, wer sie waren und was sie in dem Haus taten? Kaum.

Langsam langte er mit einer Hand an die Wand zwischen den Schrankelementen. Er fuhr mit einem Fingernagel langsam darüber. Von der anderen Seite kam schnell eine Antwort.

«Carl?»

«Hm?»

«Was machen wir?»

«Überleben.»

«Genau, das denke ich auch.» Hohe Stimmes Körper spannte sich. Er lag ausgestreckt wie ein Hakenkreuz auf dem Boden. Eine Hand mit Pistole, die andere ohne. Die Hand ohne drückte sich ein wenig vom Boden ab. Langsam ging eine leise Welle durch den Leib. Ein Knie reagierte mit dem gleichen Druck, und hohe Stimme war schon halb auf dem Weg zum zerschossenen Fenster.

«Was machst du?», fragte tiefe Stimme. Er begann, dem anderen hinterherzurobben.

«Überleben!» Mit dem Wort hielt er seine Pistole über den Rand der Fensterbank und begann, nach draußen zu schießen.

«Nein!», rief tiefe Stimme.

Die erste Reaktion, die von draußen kam, war der Schrei eines Mannes. «Runter!»

84

Die beiden Uniformen und der Referee erreichten eine Querstraße und verschwanden hastig um die Ecke. Was immer auch gerade dahinten geschah, weit hatten die drei es nicht mehr bis dorthin. Moses stellte sich vor, wie die Straße, auf der er sich befand, seitlich versetzt geradeaus weiterging. Dort musste die Schießerei vor sich gehen. Jetzt hörten sie allerdings gerade auf. Vielleicht war ja auch schon alles vorbei.

Er musste jetzt vorsichtig sein. Zwei Grundstücke zu beiden Seiten noch, dann war er auch an dieser Querstraße angekommen. Er blickte sich um. Freie Bahn. Niemand an der Kreuzung. Ein weiterer Blick über die Häuser, die er passieren wollte. Nichts.

Halt. Er wandte den Blick noch einmal zurück und sah eine Frau am Rand eines Fensters stehen. Sie hatte glatte blonde Haare und trug eine große Brille. Älter als er. Aber nicht viel älter. Rührte sich nicht. Starrte ihn an. Er grüßte mit einem Nicken und rannte dann zur nächsten Mauer.

Noch ein Grundstück, und er konnte die Kreuzung überblicken.

Jetzt. Moses lief los, so schnell er konnte. So schnell es noch in ihm war nach all dem Weglaufen. Die Schüsse setzten wieder ein, als er gerade die nächste Mauer ansteuerte. Er machte einen Hechtsprung und duckte sich. Wie weit weg genau die Schüsse fielen, konnte er sich nicht vorstellen. Aber es war nah genug, um panisch zu werden.

Ruhig einatmen. Wieder aus. Ein. Aus. Noch ein paar Sekunden liegen bleiben, dann den nächsten Schritt machen. Die Schüsse stoppten wieder. Er fühlte sich dadurch kein bisschen besser.

«Hey!», rief eine Stimme, die er nur zu gut kannte. Scheiße, dachte er und rollte sich automatisch zusammen. Ein Auge über dem Mäuerchen.

Eine Gestalt kam auf die Kreuzung zugerannt. Sah sich um, rannte weiter, stolperte fast. Schaute sich wieder um. Moses fasste es nicht. Der sah aus wie er. Okay, der Mann war älter. Gleich war er auf seiner Höhe. Aber die Jeans, die er trug, hatte dieselbe Farbe wie seine eigene. Das T-Shirt war ein paar Nuancen dunkler im Gelb, aber ähnlich eng anliegend. Und seine Haare waren nicht ganz so ausladend wie die eigenen, aber so afro, wie sie eben wuchsen. Moses sah den Mann auf sich zulaufen und hatte das Gefühl, in den Spiegel zu blicken.

Hinten erschien jetzt dieser Penner. Seine Nemesis. Stock in der einen, etwas anderes in der anderen Hand, kam er ebenfalls näher.

«Hey!», rief er wieder. Und: «Bleib stehen, du Bastard!»

Dann blieb er selbst stehen. Und Moses konnte jetzt genau sehen, was er in der anderen Hand hatte. Er warf den Stock zur Seite und nahm das Ding in beide Hände. Zielte.

Eine Sekunde, dann fiel der Schuss.

Der andere war gerade genau auf seiner Höhe. Moses sah ihn taumeln, dann fallen. Da waren kaum zwei Meter zwischen dem Mann und ihm. Die Schritte des Weißen kamen näher.

Moses machte sich ganz flach. Unsichtbar sein. Nicht einmal atmen.

Und dann fing woanders das große Schießen wieder an. Weiteratmen.

85

Die zweite Reaktion war ein Schuss, der in die Schranktür fuhr. Holzsplitter prasselten auf Thembinkosi, und er versuchte, sich noch ein Stück kleiner zu machen.

Die dritte Reaktion war massives Feuer. Alle auf einmal. Es war, als wäre das, was eben passiert war, nur ein Vorgeschmack gewesen. Hunderte schossen auf einmal in das Zimmer hinein. Ach, Tausende. Die ganze Armee und die Polizei und alle Security-Kräfte der Welt zusammen. Thembinkosi schloss die Augen und dachte daran, zu beten. Aber es ging nicht. Er hatte es nie gekonnt. Stattdessen fuhr er mit dem Fingernagel über das Holz hinter ihm. Ihm kamen die Tränen, als er von der anderen Seite die Reaktion spürte.

Das Feuer war heftig, aber nicht sehr lang. Irgendwann war Pause, und er traute sich, die Augen zu öffnen und zur Seite zu blicken. Hohe Stimme lag blutend auf dem Rücken. Er war überall getroffen worden, Kopf, Leib, Beine. Tiefe Stimme lag immer noch hinter dem Bett verborgen. Von ihm sah er nur die Füße. Aber eine Blutlache breitete sich langsam auf dem Boden neben ihm aus.

Ein Ruf von draußen. «Langsam!» Und: «Vorsichtig!»

Vorsichtig war Thembinkosi auch. Nur nicht rühren.
«Sicht klar?»
«Ja.»
«Was?»
«Nichts»
«Näher.»
«Jawohl.» Zwei Stimmen.
«Vorsichtig!»
«Jawohl.» Wieder die beiden Stimmen.

Wispern kam näher. Schritte auf Rasen meinte Thembinkosi zu hören. Er musste schlucken. Hatte ein ganz schlechtes Gefühl.

«Alles okay», sagte eine Stimme in den Raum hinein. Nicht für den Raum bestimmt.
«Ganz sicher?»
«Schon.»
«Sichermachen.»
«Okay.»

Thembinkosi stellte sich vor, zu schrumpfen, zu verschwinden.

Metallische Geräusche von draußen. Klick und klack. Ein Scharnier und noch eins. Dann ging es wieder los. Thembinkosi schloss die Augen dieses Mal nicht. Die Schüsse zerstörten, was von den beiden Männern noch übrig geblieben war. Das Bett dazu, die Matratze, die Schüsse drangen auch in den Schrank ein, in die Wände, sicher auch in den Flur, irgendetwas zersprang außerhalb des Zimmers, Zerstörung, dachte Thembinkosi, nicht kaputt, sondern total kaputt, direkt neben ihm schlug eine Kugel ein, dann noch eine, über ihm auch, er dachte an Nozipho und daran, wie sehr er sie liebte.

Dann hörte es auf.

«Alles sicher?» Von weiter draußen.

«Ganz sicher.» Von näher.

86

Moses wartete. Und dachte an die Blonde. Die hatte das doch auch gesehen.

Der Weiße hatte den Mann ... Moses schüttelte sich. Der Weiße hatte ihn erschossen, Moses. Das war seine Absicht gewesen.

Er musste wissen, was da geschehen war. Langsam hob er den Kopf. Benutzte die Arme. Blickte über die kleine Mauer.

Der andere lag da. Moses sah ihn und begann zu zittern. Das war er, der da lag.

Vielleicht lebte er ja noch. Moses schaute auf. Die Frau am Fenster war weg. Vielleicht rief sie die Polizei.

Nein, die Polizei war hier. Die musste niemand rufen. Der Weiße war auch weg.

Das große Schießen endete wieder.

Moses erhob sich. Noch einmal umschauen. Er lief die paar Schritte bis zu dem Mann. Beugte sich herab. Drehte ihn. Nasser Schritt. Der war tot.

Drehte ihn noch einmal. Dann sah er das Loch im Hinterkopf. Da war die Kugel eingedrungen.

Moses begann zu weinen. Wer war der Typ? Irgendeiner ... irgendein Mann ... falscher Ort, falsche Zeit ... irgendein

Schwarzer, dachte er auch. Irgendein schwarzer Mann. Jetzt erst sah er die Schuhe. Converse-Kopien, jahrelang getragen, zerrissen. Das Loch in der Achsel des T-Shirts. Der Riss neben der Naht der Jeans am Arsch.

Irgendein armer schwarzer Mann. Moses stand auf. Er würde ihn rächen.

87

«Ganz sicher.»

Das hatte die Stimme gesagt.

Thembinkosi kratzte an der Schrankwand. Zur gleichen Zeit begann Nozipho auf der anderen Seite.

«Hat jemand den anderen Schuss gehört?» Draußen.

«Schuss?» Andere Stimme.

«Ich.» Noch eine Stimme.

«Nein.» Viele beteiligten sich.

«Da war was.»

«Autovergaser.»

«Ein Schuss. Auf jeden Fall.»

Wie konnte ein einziger Schuss so wichtig sein, fragte er sich. War irgendwo irgendetwas geschehen, das das hier unwichtig machte? Thembinkosi sah sich um. Die Aufmerksamkeit draußen galt nicht mehr dem Raum. Er bewegte den Kopf. Draußen Schritte, die sich wegbewegten. Asphalt. Hohe Stimme hatte es völlig zerrissen. Seine Kleidung war kaum noch zu erkennen, der Kopf war dematerialisiert, die Arme, die er zum Schutz vor sich gehalten hatte, von den Muskeln befreit. Alles Blut war entwichen. Und in den Medien wurde eine Debatte darüber geführt, dass die südafrikanische Polizei ihre Arbeit nicht ernst nahm, dachte er.

«Doch, ein Schuss.»

«Aber wo?»

«Wirklich?»

«Sicher kein Schuss. Nie im Leben.»

«Von da gekommen.»

«... hingehen ...»

Tiefe Stimme ging es nicht besser. Die Füße waren zerstört, und sein Blut hatte sich mit der von hohe Stimme verbunden. Thembinkosi schaute weg.

Draußen entfernten sich Stimmen.

«Ihr durchsucht das Haus!», gab eine männliche Stimme einen Befehl.

«Jawohl!», kam eine Antwort.

Hinter sich hörte Thembinkosi wieder Noziphos Kratzen.

88

Moses sah sich noch einmal um. Kein Gesicht in den Fenstern. Herrgott, hier war gerade geschossen worden. Und nicht viel weiter war gerade ... war gerade ... ein Massaker geschehen. Die Leute mussten doch aus den Fenstern sehen. Versteckten die sich? Oder waren die wirklich alle bei der Arbeit?

Von irgendwo näherten sich Schritte. Er hörte auch ein Auto, nein, noch eins ... zwei. Schnell sprang er wieder hinter die Mauer, hinter der er sich eben vor dem Weißen versteckt hatte. Drehte und duckte sich. Ein Auge oberhalb der Mauer. Gerade rechtzeitig.

Um die Ecke bog eine ganze Armee. Zuerst Polizei zu Fuß und mit Hund, zwei Polizeiautos, dahinter ein paar der Security-Wagen. Ein Bakkie auch. Nicht daran denken, sagte sich Moses. Nicht an den Typen denken, der ihn eben überfahren wollte. Dann zwei Polos. Hinter den Security-Wagen die Uniformen der Firma. Zwei von ihnen trugen Zivil.

Zu viele für Moses. Viel zu viele. Wenn er Glück hatte, kam er gerade noch davon. Er drehte sich auf dem Bauch herum und robbte an der Mauer entlang, bis er im Schatten des Hauses angekommen war.

«Wir haben ihn», schrie einer. Moses zuckte zusammen. Und begriff erst dann, dass sie den anderen meinten. Den Toten.

Noch etwas weiterkriechen. Mit den Armen durch ein trockenes Beet. Husten unterdrücken. Mehr Stimmen hinter ihm. Durcheinander.

«Endlich.»

«Aber wer ist dann in dem Haus?»

«... geflohen ...»

«... niemanden mehr bestehlen ...»

«... weggelaufen ...»

«... nicht so enden ...»

«... Platz da ...»

«... die Polizei ...»

«... deren Aufgabe ...»

«... Schuss gehört ...»

«Aber wer hat den denn erschossen?», fragte eine Frauenstimme. Alles wurde ruhig. Der Hund bellte.

Moses drehte sich wieder, hockte sich hinter einen Zierbusch und betrachtete die Szene. Die in den Autos gesessen hatten, waren ausgestiegen. Alle hatten einen Kreis um den Toten gebildet. Niemand sagte einen Ton. Eine Polizeisirene quäkte in der Ferne kurz auf. Die Leute im Kreis sahen sich an. Nicht klar, ob die einen Helden oder einen Schuldigen suchten.

Einer drehte sich um. Noch einer. Langsam wandte die ganze Gruppe den Kopf in die Richtung, aus der der Tote eben gekommen war.

Moses sah, wie sich Körper anspannten. Immer noch sagte niemand einen Ton.

Und gerade innerhalb seines Blickfeldes blieb der Weiße stehen. Stock in der einen. Andere Hand leer.

Er blieb stehen. Beine breit. Begann, mit dem Stock in die andere Hand zu schlagen.

«Ich hab den Kaffer umgelegt», rief er.

89

Thembinkosi hob den Kopf und schaute durch die zerfetzte Schranktür. Wo das Fenster gewesen war ... nur noch ein paar Reste vom Holzrahmen. Er richtete sich vorsichtig auf. Niemand blickte von draußen in den Raum hinein. Stattdessen hörte er, wie sich Leute an der Haustür zu schaffen machten.

«Wir müssen hier weg.» Nozipho lugte aus ihrem Schrankteil heraus. «Die machen das auch mit uns.»

«Ja. Aber wohin?»

Jemand warf sich gegen die Haustür. Ein Krachen war zu hören. Ihnen blieb nicht mehr viel Zeit, um eine Lösung zu finden. Noziphos Stimme war direkt neben seinem Ohr. «Ich weiß, wohin ...»

«Wohin?»

«Es gibt nur einen Ort!»

«Nein!», sagte Thembinkosi. «Nein!»

«Doch. Zieh die Schuhe aus.»

«Warum?»

Rums. Die Haustür hielt nicht mehr lange stand. «Lass mich jetzt», sagte eine Stimme draußen.

«Mach es. Zieh sie aus.» Nozipho hatte ihre Schuhe schon in der Hand und stand mit den Socken im Blut von hohe Stimme. Sie stieg über ihn hinweg und auf das Bett hinauf. Dort fing sie an, ihre Laufschuhe wieder anzuziehen.

Thembinkosi löste die Schnürsenkel seiner Lederschuhe, zog sie aus und machte es Nozipho nach. Auf dem Bett fuhr er mit den blutigen Strümpfen wieder in die Schuhe.

«Spring!», sagte Nozipho.

Als er zögerte, gab sie ihm einen kleinen Stoß.

Die Tür splitterte unter dem Druck einer Schulter.

Thembinkosi sprang über tiefe Stimme hinweg und landete im Flur. Seine Füße machten ein schmatzendes Geräusch in den Schuhen.

«Einmal noch», kam es von draußen.

Nozipho breitete die zerschossene Bettdecke so aus, dass ihre blutigen Fußabdrücke nicht mehr zu sehen waren, dann sprang sie auch.

«Geh!», sagte sie, während sie mit der Hand einen Blutstropfen aufwischte, der Thembinkosi aus dem Schuh gespritzt war. «Geh!» Jetzt stieß sie ihn richtig.

Die Haustür brach. Jemand fiel in die Lounge. Nozipho öffnete leise die Tür zur Garage und drückte Thembinkosi hinein. Dann schloss sie die Tür wieder und ging schnell zur Tiefkühltruhe. Sie hielt die Klappe hoch und wartete.

Als Thembinkosi nicht sofort reagierte, sagte sie: «Wir haben keine Wahl.»

«Und denk nicht, dass du dich auf mich legst», sagte sie eine Sekunde später.

90

14 Uhr, 53 Minuten, 17 Sekunden

«Ich hab den Kaffer umgelegt!», schrie der Typ. Breitbeinig, zufrieden mit sich, fast ein Grinsen auf dem hässlichen Gesicht. Jay-Jay Dlomo hielt Shaka Zulu eng und sagte nichts. Niemand in der Runde sagte einen Ton. Aber der Hund wollte irgendetwas, er spürte es. Reden konnte er nicht, dafür laufen und springen und beißen. Er kannte diesen Hund, und er liebte ihn. Er hatte ihn so sehr zu seinem Ebenbild gemacht, wie das bei einem Tier eben ging. Und er war sich ganz sicher, dass der Hund fühlte, was er gerade fühlte. Hass. Hass auf den weißen Idioten. Wie stolz der war. Und wie er darauf wartete, dass irgendetwas passierte. Langsam beugte sich Dlomo vor. Er tätschelte Shaka Zulu den Kopf und sagte: «Tu es einfach.» Der Hund zitterte und zog. Dann drückte Dlomo mit Daumen und Zeigefinger den Ring an der Halterung. Shaka Zulus Ziehen wurde belohnt. Er musste sich nicht erst strecken und sich seiner Freiheit vergewissern. Er nutzte sie sofort. Ein, zwei, drei, vier Sätze, und er war auf Sprungweite an dem Weißen dran. Alle blickten auf den Hund. Nur der Weiße schaute auf Dlomo. Und Dlomo sah ihm in die Augen. Hoffentlich bemerkte er, wie eng Triumph und Untergang beieinanderlagen. Shaka Zulu war in der Luft, die Beine gestreckt vom Sprung. Das Maul offen. In Erwartung des warmen Fleisches. Weißes Fleisch. Tu es, Shaka Zulu, dachte Dlomo.

14 Uhr, 53 Minuten, 25 Sekunden

Stevie van Lange war gerade erst angekommen in «The Pines», als das Schießen begonnen hatte. Hässliche Sache. Aufgabe der Company war ja, es gar nicht so weit kommen zu lassen, dass Blut vergossen wurde. Und weiß Gott, Blut war geflossen. Jetzt stand da dieser Penner. Verlierer des neuen Systems. Nicht alle Weißen konnten ihren Lebensstandard halten. Schon klar. Trotzdem musste man so nicht reden. Manchmal musste man natürlich jemanden erledigen. Das war eben ein gewalttätiges Land. Aber nicht wegen der Hautfarbe. Die Hautfarbe spielte keine Rolle mehr. Und niemand entgegnete etwas. Der Hundeführer duckte sich ein wenig. Eine Art Räuspern vom Hund. Wie eine Warnung. Automatisch griff Stevie hinter sich unter das T-Shirt. Ganz wenige Sätze brauchte das Tier nur, dann war es in der Luft. Stevie hatte seine Pistole schon im Anschlag. Ausfallschritt mit dem rechten Fuß. Fokussieren. Dem Hund mit beiden Armen folgen. Schießen. Als der Hund den Weißen erreichte, waren schon keine Energien mehr in ihm. Er brachte den Mann trotzdem noch zu Fall und blieb dann auf ihm liegen.

14 Uhr, 53 Minuten, 37 Sekunden

Die Weißen waren völlig durchgeknallt. Yolanda Baker wollte dem Penner den Kopf von den Schultern schießen. Führte die Hand zum Holster. Und niemand sagte auch nur einen Ton.

Wie er da stand. Dann erschreckte sie der Hund. Kurz nahm sie die Hand von der Waffe. Gute Gewohnheit, für die sie oft genug aufgezogen worden war. Waffe anfassen, Waffe loslassen, Waffe wieder anfassen. Der Hund war schon im Sprung, als sie sah, dass der andere Weiße seine Pistole auf sie richtete. Sie zog ihre Dienstwaffe, so schnell sie konnte, entsicherte sie. Registrierte, dass der junge Weiße gar nicht sie im Visier hatte. Er hatte den Hund im Blick. Aber ihr Motor war angeworfen. Yolanda Baker konnte den Bewegungsablauf, den sie so oft abgerufen hatte, nicht mehr stoppen. Noch in dem winzigen akustischen Intervall zwischen dem Schuss des Weißen und ihrem eigenen dachte sie, stopp es einfach, reiß die Waffe hoch, aber sie schaffte es nicht. Sie schoss dem Mann in die Brust. Der Schwall Blut, der sich ergoss, war das Letzte, was sie sah.

14 Uhr, 53 Minuten, 41 Sekunden

Das Wort sagte man nicht mehr. Es passte nicht mehr in die Zeit, dachte Gerrit van Lange, als der Hund startete. Die Stimmung in der Gruppe schlug sofort um. Von der Ratlosigkeit, die alle ergriffen hatte, als der Idiot aufgetaucht war, zu dieser Angespanntheit, die einer führungslosen Einheit nicht guttut. Zu spät sah er seinen Sohn, der seine eigene Angespanntheit mit dem Griff nach hinten zu kompensieren versuchte. Der Mann war noch jung. Tu es nicht, dachte

Gerrit van Lange. Er flog mit dem Blick über jenen Teil der Gruppe, den er sehen konnte, ohne sich umzudrehen. Die junge Polizistin hatte Stevie im Blick und zerrte mit zitternder Hand ihre Dienstpistole aus dem Holster. Van Lange versuchte, beider Bewegungen zu verstehen, aber sie standen zu weit auseinander. Er nahm den Hund wahr, der seltsam in der Luft lag. Schwebte. Ein Standbild. Nur als Partikel sah er Stevie, seine Bewegung, den Ausfallschritt. Denn er konnte die Augen nicht von der Polizistin nehmen. Deren Waffe zielte schon auf den Sohn. Gerrit van Lange schob die rechte Hand unter das weite Hemd, während er schon im Sprung nach vorn war. Zwei Leute zwischen ihm und der Polizistin. Im Fallen drehte er sich, wie er es in der Armee gelernt hatte. Der Fall auf die Schulter schmerzte ihn heftig, aber er hatte geschossen, kurz bevor er auf dem Boden aufgeschlagen war.

14 Uhr, 53 Minuten, 19 Sekunden

Das Schwein. Sie sollten ihn umlegen. Moses hinter seinem Zierbusch sah die ganzen Leute in Lethargie. Warum taten sie nichts? Er hatte einen Menschen ermordet. Ihn hatte er umgebracht. Ihn, Moses. Warum war niemand zornig? Warum standen die nur herum? Nur der Mann mit dem Hund, der verdeckt war, rührte sich. Irgendetwas machte er mit dem Tier. Das rannte auf einmal los. Auf den verrückten Weißen zu. Moses sah, wie sich die Vorder- und die Hinterpfoten trafen, dann noch einmal, und noch einmal. Ein letztes Mal, und der Hund war im Sprung auf sein Ziel. Es geschah doch etwas. Wenigstens er hatte verstanden. Der Weiße hatte noch gar nichts verstanden, hatte noch nicht einmal die Hände zum

Schutz vor den Zähnen gehoben, die sich gleich in ihm verhaken würden. Eine Millisekunde noch, und Rache fand statt, dachte Moses. Den Schuss hörte er erst, als er gesehen hatte, was er anrichtete. Wie einen die Sinne betrügen können, wenn die Dinge durcheinandergerieten. Der Hund flog noch gegen den Weißen und hieb ihn um wie die Faust eines mächtigen Boxers. Dann hörte Moses den Schuss, und dann noch einen, und dann noch einen. Und als dann einsetzte, was die ersten Schüsse auslösten, warf er sich wieder auf den Bauch.

91

«Sie ist immer noch nicht ganz kalt», sagte Nozipho.

«Ich weiß.»

Nozipho lag auf Thembinkosi, Bäuche gegeneinander. Sie hatte ihre nackten Arme um ihn gelegt, Schultern an der Wand der Tiefkühltruhe.

«Sie ist auch nicht ganz trocken», sagte Thembinkosi.

«Igitt. Und es ist so kalt hier drin.»

«Eben war es zu heiß. Du hast uns gerettet.» Die Garagentür wurde geöffnet.

«Psst», sagte Nozipho in Thembinkosis Ohr.

«Garage.»

«Tiefkühltruhe.»

«Lass.»

«Wir sollen überall nachsehen.»

«Übertreib es nicht, komm.»

Wieder die Tür. Beide atmeten aus.

«Du hast uns gerettet», sagte Thembinkosi wieder.

«Wir sind noch nicht raus hier. Wo ist der Aktenkoffer?»
«Im Schrank.»
«Scheiße.»
«Und deine Tasche?»
«Auch im Schrank.»
«Sie werden sie entdecken.»
«Unsinn. Sie suchen gerade nach Leuten. Nicht nach Taschen. Die werden sie nicht mal anfassen.»
«Aber wie kommen wir jetzt raus?»
«Die Hintertür.»
«In der Küche?»
«Hmhm. Einfaches Schloss.»
«Aber die sind noch im Haus, oder?»
«Ich weiß es nicht. Mir ist so kalt.»

92

«Ich bin ja gleich selbst da», hatte Warren Kramer gesagt, als er den Kontrollraum verlassen hatte. Happiness arbeitete schon seit einigen Monaten bei Meyer Investment und konnte die Sprache ihres Vorgesetzten längst deuten. Da muss der Chef hin, hieß das. Oder: Sieh nur, ich hab das gleich alles im Griff.

Ihr war es recht. So hatte sie eine Gated Community weniger zu beobachten. Gerade versuchte sie, zwei jungen Typen in Blaumännern zu folgen, die in «Paradise on Sea» in Nahoon unterwegs waren, der neuesten aller Anlagen, die sie kontrollierten. Manche Häuser hatten dort Meerblick, andere lagen über dem Golfplatz. Einer der beiden Männer trug eine

Leiter über der Schulter, und beide hatten einen leeren Rucksack auf dem Rücken. Weit und breit war kein weißer Boss zu sehen, der ihnen sagte, was sie tun sollten. Und für einen Auftrag war es recht spät. 14 Uhr 52 sagte die Digitalanzeige auf den Monitoren. Wo mochten die beiden hinwollen. Leiter bedeutete Dach reparieren, Bäume stutzen oder Einbrechen. Gerade schaltete sie zwischen den Kameras in «Paradise on Sea» hin und her, um die beiden wiederzufinden.

Da waren sie wieder. Punkt drei am Nachmittag. Das war definitiv zu spät, um einen Auftrag zu beginnen. Sie war sich jetzt sicher, dass die beiden Männer auf eigene Rechnung unterwegs waren. Was also tun?

Warren anrufen? Der war in «The Pines», und da brannte es richtig. Der alte van Lange und sein Sohn waren beide auch da, also sollte sie vielleicht jemanden bei Central Alert anrufen. Oder die Polizei.

Sie nahm das Diensttelefon vom Tisch, als ihr Blick auf den Monitor fiel, auf den mit einem Marker «The Pines» geschrieben war. Eine große Gruppe von Leuten stand nahe einer Kreuzung und wartete auf irgendetwas. Central Alert, Polizei und andere. Sie erkannte die beiden van Langes. Die Kamera zeigte die Gruppe von der Seite und blickte gleichzeitig die Straße hinauf. Da stand dieser Typ, über den Warren Kramer immer lästerte. Was sagte er noch, wenn er ihn sah?

Richtig: Freizeit-Security. Der Weiße stand ein wenig entfernt, und irgendwie hatte sie das Gefühl, dass alle anderen ihn ansahen.

Happiness bediente die Tastenkombination, die der Kamera Priorität gab. Sie musste genau hinsehen, um zu begreifen, dass das Bild nicht eingefroren war, denn da war gar keine Bewegung in der Gruppe. Jetzt bemerkte sie, wie sich einer der Polizisten leicht bückte. Sie konnte nicht erkennen, was er tat, weil er von den anderen teilweise verdeckt war. Dann ging ein gemeinsames Zucken durch die Gruppe, und etwas kam daraus hervorgeschossen.

Erst mit Verzögerung erkannte Happiness, dass das Ding ein Hund war. Er rannte auf den Weißen zu, über den Kramer immer lachte. Jetzt setzte er zu einem Sprung an, auf den Mann zu, als alles gleichzeitig geschah. Der junge van Lange, der näher zu dem Weißen stand als die meisten, hatte plötzlich etwas in der Hand. Da war ein kleiner Blitz, der von ihm ausging. Dann prallte der Hund in den Weißen. Der junge van Lange fiel um, der Hund auf den Weißen. Und sie erkannte den alten van Lange, der sich auf den Boden warf. Da fiel auch eine Frau in Uniform um. Dann beugte sich eine andere Uniform über van Lange, und ein paar Zuckungen gingen durch den Chef von Central Alert.

Ihr fiel das Telefon aus der Hand.

Der Monitor für «Paradise on Sea» zeigte gerade, wie die beiden Männer im Blaumann aus einem Fenster im ersten Stock kletterten. Ihre Rucksäcke waren prall gefüllt.

93

Yolanda Bakers Kopf war zerstört, noch bevor sie auf den Boden fiel. Das Projektil aus Gerrit van Langes Pistole hatte zuvor ein paar Runden in ihrem Schädel gedreht.

Zwei Sekunden bevor sie rücklings auf der Bordsteinkante

aufschlug, trat Warrant Officer Vukile Pokwana einen Schritt nach vorn und entlud seine Dienstwaffe in den Körper von Gerrit van Lange. Er tat das ohne großes Nachdenken, es war mehr ein Reflex als ein durchdachter Plan. Wenn ein Kollege oder eine Kollegin angegriffen wurde, gab es für ihn nur ein Mittel: die Gefahrenquelle auszuschalten. Als er über van Lange stand, den er seit Jahren kannte, spürte er, dass alles an der Situation, in die sie geraten waren, absurd wirkte. Er versenkte noch eine Kugel in dem Leib und bemerkte dann, dass der Rassist aufgestanden war und davonlief. Gerade wollte er seine Pistole auf den Davonlaufenden richten und ihm in den Rücken schießen, als er das Gefühl hatte, kaltes und heißes Wasser liefen gleichzeitig durch seinen Körper, im Krieg miteinander. Das Britzeln, das damit gleichzeitig kam, erkannte er irgendwie. Aber er war nicht in der Lage, den Gedanken für sich zu formulieren. Er fiel auf den Chef von Central Alert, ohne sich abzustützen, und hieb sich die Stirn auf dem Asphalt der Straße blutig.

Bismack van Vuuren sprang hinter die nächste Mauer und rollte sich ab. Das tat weh, aber er war sicher, dass es weniger schmerzte als eine Kugel zwischen den Rippen. Den Taser, gerade noch eingesetzt, hatte er im Flug aufgegeben, einfach fallen gelassen. Auf dem Rasen angekommen, drehte er sich und sah Warren Kramer und einen weißen Polizisten neben sich landen. Sie blickten sich kurz an. Das erinnerte ihn an den Einsatz in Angola – war das lange her. Gegenüber auf der anderen Straßenseite sprangen der Bodybuilder von Central Alert und zwei seiner Kollegen in Sicherheit. Ein schwarzer Polizist und dann der, der den Hund geführt hatte, liefen in die gleiche Richtung und warfen sich auf den Boden. Rob van der Merwe kam neben ihm angeflogen. Wo war der denn hergekommen?

94

«Sollen wir es versuchen?», fragte Nozipho. Ihre nackten Oberarme waren an die Wände der Tiefkühltruhe gepresst. «Mir ist so kalt.»

«Hörst du noch was?»

«Keinen Ton. Aber mir ist auch nur kalt. Und ich muss so dringend pinkeln.»

«Ich auch ... Meinst du, wir sollen es versuchen?»

Nozipho wartete die Antwort gar nicht ab, sondern drückte mit dem Arsch die Klappe hoch. Dichte Hitze mischte sich mit der Kälte, Nozipho bekam eine Gänsehaut. Sie hob die Klappe mit einem Arm und horchte in das Haus hinein.

«Leer?», fragte Thembinkosi.

«Ich glaube.»

Irgendwo fiel ein Schuss. Dann noch einer. Ein dritter. Dann eine Salve.

«Das ist weit weg», sagte Thembinkosi.

Nozipho zog das Kleid über die Hüfte hoch und kletterte aus der Tiefkühltruhe. Dann zog sie den Stoff wieder herunter. Thembinkosi stand schon neben ihr. Ganz leise öffnete sie die Tür zum Haus. Einen Spalt nur.

Jetzt begann ein richtiges Gefecht. Schüsse aus verschiedenen Waffen. Unrhythmisch. Sie sahen sich an. Nozipho ging vor Thembinkosi ins Haus hinein. Sie ging sofort ins

Badezimmer und setzte sich aufs Klo. Thembinkosi folgte ihr und pinkelte ins Waschbecken.

«Mach die Tür hinten auf», sagte sie zu Thembinkosi. Dann watete sie durch das Blut zum Schrank und holte Aktenkoffer und Handtasche heraus. Als sie in der Küche ankam, war die Hintertür schon offen. Die Schüsse hatten aufgehört.

95

Happiness starrte mit offenem Mund auf den Monitor. Das Telefon auf dem Boden klingelte, aber sie reagierte nicht.

Der, der unter dem Hund gelegen hatte, rollte sich unter dem Tier weg und rannte gerade davon. Ihre beiden Chefs lagen am Boden. Dann noch die Polizistin. Und der schwarze Polizist auch. Die anderen Leute versuchten, sich in Sicherheit zu bringen. Da wurde doch weitergeschossen. Für Ton würde sie jetzt wirklich was geben.

Eben war das noch eine Gruppe gewesen, dachte sie. Jetzt lauter Einzelne, die guckten und sich drehten und sich dann entschieden. Entweder die eine Seite oder die andere.

Sie sah jetzt auch Hlaudi. Der guckte in die eine Richtung. Machte auch einen Schritt dorthin. Schaute dann in die andere. Entschied sich dafür. Er plumpste mehr auf den Boden, als dass er fiel. So viele Muskeln, erinnerte sich Happiness. Und dann so ein kleiner Schwanz. Traurig.

Die Straße war nun leer. Bis auf die Leichen. Die anderen lagen hinter den Mauern verborgen auf beiden Seiten der Straße. Wurde weitergeschossen? Happiness starrte auf den Monitor, aber sie konnte es nicht erkennen.

96

Moses lag so flach, wie es eben möglich war. Schreie von den Leuten, die sich in Sicherheit brachten. Eine Wange am Boden, konnte er mit einem Auge in Richtung Straße blicken. Er sah Leute, die in der gleichen Situation waren wie er. Schutz suchend, am Boden liegend. Dabei wurde gerade gar nicht mehr geschossen.

Wer hatte eigentlich geschossen? Mehr Geschrei.

«... angefangen ...»

«... Mord ...»

Vieles, was er nicht verstand. Leute waren in Panik. Ein paar lagen auf der Straße. Tot oder verletzt.

Und auf wen wurde geschossen?

Es sah die nackten Beine vom Referee. Einen Polizisten. Einen Zivilisten. Noch einen Polizisten. Und einen, der aussah wie ein Handwerker mit zerschlissener Jeans, aber teuren Schuhen. Irgendetwas stimmte nicht an dem Bild, das er sah. Aber bevor er der Sache nachgehen konnte, fing von drüben wieder jemand an zu schießen.

Sofort wurde von dieser Seite zurückgefeuert. Er sollte hier schnellstens verschwinden. Moses drehte sich am Boden und kroch davon.

97

Hlaudi landete auf dem Bein eines Polizisten, als er mit dem Brustkorb zuerst hinter der hüfthohen Mauer aufkam. Der

Uniformierte schrie auf und trat mit dem anderen Bein nach ihm. Ein anderer Polizist neben dem, auf dem er gerade gelandet war, streckte einen Arm aus. Hlaudi wollte etwas rufen, wie «Nein!» oder «Lass das!», da war der Schuss schon gefallen. Umgehend wurde zurückgefeuert. Der Uniformierte, der geschossen hatte, fiel tot um. Der Polizist direkt neben ihm zog seine Waffe aus dem Holster und stürzte zur Mauer. Hlaudi stieß ihn zu Boden. Da war der allerdings schon von einer Kugel getroffen. Von drüben kam anhaltendes Feuer. Der Mann hatte einen Schultertreffer und hielt sich den Arm vor Schmerzen. «Gib mir das Ding», sagte Hlaudi zu ihm. Jetzt ließ die Intensität des Feuers von der anderen Seite nach. Er schaute sich kurz um und sah auch Ludelwa am Boden liegen. Die Kollegin hielt sich eine Wunde im Hals, blutete stark, schien sich aber nicht mehr zu rühren.

Auf der anderen Seite der Straße war die Mauer nur halb so hoch wie die, hinter der sie sich verstecken konnten. Dafür hatten sie aber schon gut vorgelegt. Neben ihm tauchte der Typ auf, der den Hund gebracht hatte. Auch er hatte eine Waffe in der Hand. Sie nickten sich zu und erhoben sich so weit, dass sie schießen konnten. Hlaudi zählte beim Schießen. Eine er, eine der Hundemann, eine er – Treffer, eine der Hundemann – auch ein Treffer, wieder eine er, eine der Hundemann – noch ein Treffer. Sie blickten sich an und ließen sich beinah gleichzeitig nach hinten fallen. «Drei haben wir», sagte er. – «Wie viele sind es noch?», fragte der Hundemann. – «Zwei oder drei.» – «Warten oder handeln?» – «Wir sind mehr als die. Wenn hier ein paar von uns das Feuer aufrecht halten, greifen wir sie von hinten an.»

Hlaudi hielt die Hand des toten Polizisten über die Mauer. Sofort schlug ein Projektil in ihr ein. Hlaudi ließ den Arm wieder fallen. Er und der Hundemann machten sich auf. Hinter dem Haus her, noch eines weiter, weg vom Eingang der Gated Community, dann noch eines, bis zur Straße, umsehen, rüber, hinter das nächste Haus und abzählen. Eins, zwei, drei. Jetzt waren sie hinter den anderen angekommen.

Sie mussten aufpassen, nicht in Friendly Fire zu laufen. Hundemann zeigte auf seine Brust und dann entlang der einen Seite des Hauses. Sie standen hinter dem Haus, vor dem die Weißen in Stellung lagen. Hlaudi nickte und zeigte dem anderen, dass er auf der anderen Seite entlangschleichen wollte.

Mehr Verabredung gab es nicht zwischen dem Hundemann und ihm. Vorsichtig sein, sehen, was an der Mauer passierte, schießen. Die auf dieser Seite würden ja nicht auf sie warten. Sie hatten genug damit zu tun, zu überleben.

Er hockte sich hinter einen Busch mit bunten Blüten. Beide Seiten feuerten. Während er an der Hausmauer lehnte, konnte er die Einschläge spüren. Langsam bewegte er den Kopf nach vorn und sah fünf Männer. Alle lagen. Zwei hatten offensichtlich Kopfschüsse, ein weiterer war verletzt oder tot. Zwei schossen noch. Hlaudi zog den Kopf wieder zurück. Konzentrieren. Beim nächsten Mal wollte er schießen. Hand nach vorn, Kopf hinterher. Weniger Schüsse fielen gerade. Nachladen. Leere Flinten.

Drei waren tot, jetzt konnte er es sehen. Nonverbale Kommunikation zwischen den beiden Überlebenden. Er verstand nicht, worum es ging. Er hielt auf den Blonden mit dem Polo-Shirt.

Schoss.

In den Hinterkopf.

Der mit der kurzen Hose drehte sich um und fing sich gleich zwei Kugeln. Eine von ihm und eine vom Hundemann. Sackte zur Seite.

«Feuer einstellen!», rief der Hundemann. «Feuer einstellen!»

Warten. Kein Ton mehr. Hlaudi schaute um die Hausecke herum und sah den Hundemann, der das Gleiche tat. Beide zeigten sich den gereckten Daumen. Alles in Ordnung. Kamen nach vorn.

Sie sahen nicht, dass der Mann in der kurzen Hose sich noch rührte. Er hob seine Pistole und schoss dem Hundemann ins Herz.

Hundemann fiel um. Hlaudi drehte sich zur selben Zeit und schoss zweimal in den Mann am Boden. Dann war die Polizeipistole leer.

98

«Du hast Blut an den Schuhen», sagte Thembinkosi und nahm den Aktenkoffer aus Noziphos Hand.

«Egal», sagte die. «Reibt sich ab. Lass uns verschwinden. Von wo kommen die Schüsse?»

«Da», sagte Thembinkosi. «Wir müssen sowieso in die andere Richtung.»

«Wir sehen scheiße aus.»

«Lässt sich nicht mehr ändern. Ich fühle mich besser als im Schrank oder in der Truhe. Auch wenn mein Anzug Flecken bekommen hat. Komm ...» Er wischte sich die Stirn mit dem Ärmel des Anzugs ab.

Sie schlichen um das nächste Haus herum und verharrten an der Straße. Schauten in beide Richtungen.

Nozipho zog Thembinkosis Jackett gerade. «Lass uns erst noch bis zur Außenmauer gehen.» Sie zeigte über die Straße hinweg auf die nächste Reihe Häuser. «Dann ist mir wohler. Je weiter ich weg bin von dem Haus hier, desto besser fühle ich mich. Und dann gehen wir an der Mauer lang. Zum Ausgang.»

99

Moses blieb an der nächsten Querstraße stehen. Klopfte sich den Dreck von Hose und T-Shirt. Hinter ihm wurde geschossen wie im Krieg. War das alles nur wegen ihm geschehen? Kann nicht sein, dachte er.

Das Haus gegenüber sah leer aus. Er lief über die Straße, blieb stehen, als er es passiert hatte, prüfte das nächste Grundstück, lief bis zur Straße. Das nächste Haus vor ihm war nicht leer. Er sah eine Frau in der Lounge, die ihm den Rücken zugewandt hatte. Letztlich egal, dachte er. Er musste weiter. Er musste raus. Zur Mauer. Dann Richtung Ausgang. Und dann ... Musste irgendetwas klappen.

Vorbei an dem Haus. Zur Außenmauer. War er hier heute schon gewesen? Sicher. Er war überall schon gewesen. Er hockte sich kurz hin und versuchte, den langen Gang zwischen der Mauer und den Häusern zu überblicken. Bis zum Ende also. Dann nach rechts, und dann war da irgendwo der Ausgang. In beide Richtungen war der Blick frei. Natürlich konnten sich hinter den Mauern und Hecken und Büschen Leute verbergen.

Das Problem würde er dann lösen müssen.

Moses lief los. Sprang über eine Hecke. Dann über eine Mauer. Dann über noch eine, die schon höher war. Merkte, wie schwer die Beine waren.

Sei vorsichtig, sagte er sich. Die Mauer vor ihm war schon wieder ziemlich hoch, und er sprang mit aller Kraft ab, die er noch hatte. Fokussierte schon das nächste Hindernis.

Kaum war er aufgekommen, hob er wieder ab. Der Schlag war so mächtig, dass ihm alle Luft entwich. Kein Gefühl mehr in ihm, kein Gedanke. Ende der Existenz. Kein Gott war so mächtig, gegen diesen Schlag ein Mittel zu haben. Direkt in den Bauch.

Das Standbein hatte gerade den Grund gesucht und gefunden. Das andere war noch in der Luft und hatte den Leib ein paar Meter weiter tragen wollen. Die gegenläufige Kraft schlug ihn zurück in die Richtung, aus der er gekommen war. Für eine endlose Zeit stand Moses in der Luft, schwerelos beinah, und fiel dann in sich zusammen.

«Schwein!», rief einer.

«Scheiße!», dachte Moses, als sein Hirn wieder durchblutet wurde. Der schon wieder. Und jetzt hatte er endgültig die besseren Karten. Der Stock sauste schon wieder auf ihn nieder. Moses wollte kotzen.

100

«Noch mal», sagte die Frauenstimme in der Zentrale. «Was heißt, alle sind tot?»

«Das heißt, dass alle tot sind.»

«Langsam. Sie sind Constable Mafu?»

«Ja.»

«Der Einbruch in der Gated Community.»

«Die Weißen haben angefangen.»

«Was?», fragte die Frau.

«Die haben zuerst geschossen.»

«Constable ... Sind Sie wirklich Constable Mafu?»

«Die Weißen sind schuld.»

«Aber wer sind denn die Weißen?»

«Die Weißen ... sind die Weißen!»

«Und jetzt sind alle tot.»

«Ja.»

«Wer ist tot?»

«Bezuidenhout.»

«Der Warrant Officer?»

«Ja.»

«Der ist weiß.»

«Tot.»

«Wer noch?»

«Baker. Constable Baker.»

«Tot?»

«Tot.»

«Wer hat sie getötet?»

«Die Weißen.»

«Aber Bezuidenhout ist auch weiß.»

«Ja.»

«Und wer hat ihn getötet?»

«Der Hundeführer.»

«Inspector Dlomo?»

«Ja.»

«Und wo ist er?»

«Tot.»

«Und wer hat ihn getötet?»

«Die Weißen.»

101

«Polizei», sagte Nozipho. «Da ist Polizei.» Sie zeigte an der Außenmauer entlang auf eine Gruppe von Leuten.

«Scheiße!», sagte Thembinkosi. «Lass uns in die andere Richtung verschwinden.»

«Sie haben uns schon gesehen.»

Eine junge Frau in Uniform winkte ihnen. «Hier rüber.»

Langsam wandten sie sich der Polizistin zu, hinter der eine Versammlung zu sehen war.

«Okay. Besser, als im Schrank durchsiebt zu werden», sagte Thembinkosi.

«Wir sind nicht durchsiebt worden.»

«Aber fast.»

«Jetzt tun wir einfach das, was wir sowieso vorhatten.»

«Sind Sie denn nicht angerufen worden?», fragte die Polizistin, als sie sie erreicht hatten. In einer Sackgasse, die an der Außenmauer endete, standen ein paar Müllleute, etwas versetzt hinter ihnen ihr großer Wagen, ein Briefträger, eine schwere Frau im grünen Kittel, zwei Jungs im Blaumann und ein paar Leute in Zivil. Der faule Geruch des Mülls stand wie ein Zelt über der Szene.

«Muss uns entgangen sein», sagte Thembinkosi. «Warum?»

«Das ganze Territorium dahinten ist gesperrt. Wir suchen einen Tsotsi», sagte sie. «Einen gefährlichen Tsotsi.»

«Wir haben die Schüsse gehört.» Nozipho.

«Wild.» Thembinkosi.

«Ja, da ist es ganz schön rundgegangen.» Die Polizistin.

«Haben Sie gewonnen?» Thembinkosi.

«Tun Sie das nicht immer?» Nozipho zog an ihrem Kleid und versuchte, die Polizistin anzulächeln. Mit der Handtasche verbarg sie den Riss im Stoff.

«Ich denke schon.» Die Polizistin. «Aber ich habe noch nichts gehört. Sie müssen hier erst einmal warten, bis ich weitere Befehle habe.»

102

«Du Schwein», schrie der Weiße wieder und schlug auf ihn ein.

Moses versuchte, sich zu schützen. Aber der Kerl kniete auf einem Arm, und mit dem anderen versuchte er, sich vor den Schlägen zu schützen. Jetzt erwischte ihn eine flache Hand mitten im Gesicht. Das tat weh.

Schwer war er nicht und auch nicht stark, dachte Moses.

Aber er hatte ihn überrascht und überwältigt. Lass locker, sagte er sich, für einen Moment.

Der andere bemerkte seine Entspannung und hielt es für eine Kapitulation. Er begann zu grinsen und schlug noch einmal kräftig mit der flachen Hand zu. Dann spannte Moses die Muskeln an und trat mit seinem Knie zwischen die Beine des Weißen. Sofort zog der sich zusammen wie eine Spinne. Treffer, dachte Moses. Er schob den anderen von sich und versuchte aufzustehen. Aber der Weiße hatte eine Hand in sein T-Shirt gekrallt. Selbst als es zu reißen begann, ließ er nicht los.

Moses ballte eine Faust und schlug dem Mann an den Kopf. Der Treffer zeigte Wirkung. Der Weiße rollte ein Stück zur Seite, das T-Shirt zerriss noch weiter. Moses löste die Hand des Mannes und stand auf. Ein Knock-out. Der andere rührte sich nicht mehr. In seiner Hemdtasche sah er eine Zigarettenpackung und nahm sie heraus.

Als er weiterrennen wollte, fiel ihm die Pistole ein. Auf gar keinen Fall wollte er wie sein Double in den Rücken geschossen werden. Bückte sich, rollte den Weißen auf die Seite, tastete ihn ab. Die Waffe war hinten im Hosenbund.

In der Bewegung, sie über die Mauer zu werfen, hielt er inne. Wenn sie dort gefunden würde, mit seinen Fingerabdrücken drauf, das konnte böse ausgehen. Also ... dachte er ... böser noch als alles, was heute ohnehin schon Beschissenes geschehen war. Er steckte das Ding in den eigenen Hosenbund. Dann sah er auf die Zigarettenpackung in der anderen Hand und dachte: Einen Zug, einen einzigen Zug nur.

Er trat dem Weißen in die Seite. Und noch einmal.

103

Die vier Müllleute standen als Gruppe zusammen und redeten. Der Briefträger lungerte in ihrer Nähe herum. Vielleicht hatten sie eben noch miteinander gesprochen. Alle anderen bildeten eine weitere Gruppe, in der aber gerade nicht geredet wurde. Sie musterten die Neuankömmlinge. Die Polizistin hielt sich allein, mit schrägem Kopf, als wollte sie in das Mikro sprechen, das an ihrem Kragen hing.

Nozipho ging zu den Müllleuten. Thembinkosi konnte sehen, wie unwohl sie sich fühlte in dem eingerissenen Kleid. Fleckig war es mittlerweile auch. Sie hielt die Handtasche an die Seite, um den Riss zu verdecken. «Hi», sagte sie. Die Müllleute waren trotzdem ganz aufmerksam. Sie sahen eine attraktive Frau aus einer Klasse, der sie nie angehören würden, und nicht den Schmutz auf ihrem Kleid.

«Hi», sagte sie noch einmal. «Was ist denn hier eigentlich los?» Alle vier fingen gleichzeitig an zu reden.

«... Tsotsi ... dreist ... Einbruch ... junger Typ ... Vergewaltigung ... Schmuck und Bargeld ... ganze Armee ...» Und so weiter. Sie sagten das, was sie wussten. Und es war herauszuhören, dass sie Respekt hatten vor dem Jungen. Sie alle kannten jemanden, der von nicht ganz legalen Dingen lebte. Und vor allem hatten sie alle die Ballerei gehört. Der Junge war tot, und er war einen Heldentod gestorben. Morgen würde über ihn etwas in der Zeitung stehen. Thembinkosi hoffte, nie in der Zeitung zu stehen. Was für ein Albtraum.

Nozipho kam gerade zurück. «Komisch», sagte sie.

«Ja, was für ein Zufall.»

«Welcher Zufall?»

«Das mit dem Jungen», Thembinkosis Stimme wurde ganz leise. «Ich hab den ja laufen sehen. Musste ja irgendwann passieren, dass wir Konkurrenz haben, die zur gleichen Zeit unterwegs ist. Gerade in einer so großen Gated Community.»

«Unsinn.» Nozipho war kaum noch hörbar. Sie drückte sich eng an Thembinkosi.

«Wie ... Unsinn?»

«Hast du das nicht gehört? Der Schmuck? Das waren wir.»

«Wir?»

«Wir. Die jagen den Jungen wegen uns.»

«Und die Vergewaltigung?»

«Keine Ahnung. Aber sobald die sehen, dass der den Schmuck nicht hat, werden die sich fragen, wo er sein kann. Wir müssen hier raus.»

«Klar müssen wir hier raus.»

«Thembi, nicht irgendwann. Jetzt!»

104

Moses zog das Streichholzbriefchen aus der Packung und dann eine Zigarette. Einen Zug. Chesterfield war gar nicht seine Marke, aber das war jetzt egal. Der eine Zug würde so helfen. Er blickte auf den Weißen hinunter, der sich nicht rührte. Er hatte Lust, ihm ins Gesicht zu treten.

Zigarette zwischen die Lippen. Streichholz abbrechen. Langsam über den Streifen ziehen. Der Flamme beim Entstehen zusehen. An die Zigarette halten. Ziehen. In die Lunge damit.

Woah!

Einhalten. Noch eine Sekunde, noch eine. Auskosten. Er liebte dieses allererste Schwindelgefühl, das sich einstellte, wenn man eine Weile nicht geraucht hatte.

Die Flamme hatte seine Finger erreicht. Moses begann zu husten und ließ das Streichholz fallen. Noch einmal husten. Er musste weiter. Die Zigarette ließ er auch fallen, trat drauf und ging weiter.

Der Weg war noch lang.

Er fing an, wieder zu laufen. Gewann an Tempo und hatte dann das Bedürfnis, sich noch ein letztes Mal nach dem verrückten Weißen umzudrehen. Nicht, dass der ihm doch noch hinterherlief. Blieb wieder stehen. Drehte sich um.

Der Weiße mühte sich tatsächlich über eine Mauer, schwerfällig, aber zäh.

Und wo er Streichholz und Zigarette hatte fallen lassen, hatte der trockene Rasen angefangen zu brennen. Moses sah Rauch und das irritierende Licht kleiner Flammen.

105

Nozipho zog Thembinkosi am Arm. «Komm, wir gehen.»

«Halt!», kam sofort die Stimme der Polizistin. «Sie dürfen den Platz nicht verlassen.» Nozipho drehte sich um. «Wieso? Ist doch alles vorbei.»

«Sie dürfen nicht. Anweisung. Was meinen Sie, warum wir alle hier warten?»

«Aus Angst vor den Schüssen?»

«Ja, auch ...»

«Und die sind doch vorbei.»

«Tut mir leid, aber Sie müssen warten, bis Sie sich wieder durch die Gated Community bewegen können. Ich warte gerade auf die Mitteilung aus der Zentrale.»

«Und wenn wir trotzdem einfach gehen?» Nozipho stemmte die Arme in die Hüften. Das Kleid riss weiter ein.

«Dann ... dann ...»

«Lass uns noch etwas warten.» Thembinkosi stellte sich so, dass nicht alle Noziphos Unterwäsche sehen konnten.

«Ja, ich höre», schrie die Polizistin jetzt ins Mikro. Dann schwieg sie, und alle anderen lauschten vergebens. «Ich verstehe», sagte sie dann. «Also ... Alle jetzt, und nur rausgehen. Klar.»

Rausgehen hört sich so gut an, dachte Thembinkosi.

Noch bevor die Polizistin ein weiteres Wort sagen konnte, setzten sich alle in Bewegung. Die vier Müllleute quetschten sich in die Kabine ihres Trucks. Der Motor wurde gestartet.

106

Nicht mehr weit bis zum 90-Grad-Winkel in der Mauer. Springen, sicher landen, langsamer werden. Umschauen. Der Verrückte war noch zu sehen, aber kaum in der Lage, ihm zu folgen. Das Feuer hatte schon einen Strauch erfasst.

Neuer Schwung. Über eine Mauer, rechts hoch, über die nächste, Kinderspiel. Dann eine Hecke und Tempo rausnehmen. Nach rechts abbiegen. Noch ein letzter Blick zurück. Der

Weiße stand da. Regungslos. Das Feuer hatte den Ast eines Baumes erwischt. Wieder schneller werden. So weit konnte es nicht mehr sein.

Es fiel ihm immer schwerer, die Beine über die Hindernisse zu schwingen. Noch einmal und noch einmal, und er blieb stehen. Vier oder fünf Grundstücke von jenem entfernt, auf dem er gerade gestoppt hatte, stand eine hohe Wand, die die Außenmauer mit dem Haus zu verbinden schien. Das war ein gutes Zeichen. Er musste jetzt sehr nah am Ausgang sein.

Vorsichtig bewegte er sich bis zum letzten Haus. Und sah, dass er richtiggelegen hatte mit seiner Vermutung. Der Gang zwischen den Häusern und der Außenmauer war hier zu Ende. Hinter der Wand wurde irgendetwas gerufen, er hörte Motorengeräusche. Da war der Ausgang. Im letzten Haus waren alle Vorhänge zugezogen, es wirkte unbewohnt. Auf der Terrasse lagen Blätter und Dreck. Von hier sollte keine Gefahr drohen. Ganz langsam schlich er am Haus entlang zur Straße.

Ein ganzer Konvoi an Polizeiautos fuhr gerade ein. Kleine und große, ein Mannschaftswagen, dann ein Wagen der Gefängnisverwaltung mit Zellen für Festgenommene. Moses duckte sich und sah den Ausgang. Wie lange war das her, seit er da durchgekommen war? Er blickte auf seine Uhr. 15 Uhr 12. Etwas mehr als zwei Stunden.

Am Tor standen zwei Central-Alert-Leute, ein Mann und eine Frau, und zwei mit Polizei-Uniformen, ebenfalls Frau und Mann. Das Tor öffnete sich wieder, ein schwarzer BMW mit aufgesetztem Blaulicht. Die Chefetage der Polizei.

Aus der anderen Richtung kam ein grauer Kleinwagen angefahren. Alte Frau am Steuer. Die Polizistin stoppte sie mit der Hand. Kofferraum öffnen, sie sah hinein. Danke, weiterfahren. Scheiße, sie machten richtige Ausgangskontrollen.

Das Tor blieb auf, nachdem der Kleinwagen hinausgerollt war. Noch ein Konvoi. Krankenwagen. Alle privaten Firmen, die er je gesehen hatte, hintereinander. Sicher zehn Autos. Als letztes fuhr ein alter Toyota-Bus hinein. Angecheckt, angerostet, Qualm aus dem Auspuff. Hier wurden alle Einsatzkräfte gebraucht. Attenborough Ambulance stand auf der Seite. Zwei der Buchstaben waren kaum noch zu lesen. Hatte er noch nie gesehen.

Wie sollte er hier nur rauskommen? Moses schaute dem letzten Krankenwagen hinterher, wie er Anschluss an die Kolonne suchte. Und für den Bruchteil einer Sekunde meinte er, Sandis Gesicht hinter dem Steuer gesehen zu haben.

107

«Komm», sagte Nozipho wieder. «Jetzt gehen wir aber.»

Sie nahm Thembinkosis Hand und ging einen Schritt voraus.

Alle, die gerade noch herumgestanden hatten, begannen, sich zu bewegen. Der Briefträger checkte seine Umhängetasche. «Nur Richtung Ausgang», rief die Polizistin noch einmal.

«Fuuuh», sagte Thembinkosi. «Für einen Moment hatte ich gedacht, es könnte noch einmal schwierig werden.» Er wischte sich die Stirn wieder mit dem Taschentuch ab.

«Gib mir das auch.» Nozipho fuhr es über Stirn und Unterarme, dann unter die Achseln und gab es wieder zurück. «Du denkst doch nicht, dass wir schon draußen sind.»

Eine Straße weiter kreuzte ein Polizeikonvoi ihren Weg.

«Aber die suchen uns doch nicht!»

«Noch nicht. Und wir wissen nicht, was uns am Ausgang erwartet.»

108

Was würde Sandi tun?

Sie würde ihn suchen. Klar. Also musste er nur irgendwo sichtbar stehen bleiben, bis sie angefahren kam. Nur dass sie ihn vorher wahrscheinlich ergreifen würden. Sichtbar stehen bleiben ging gar nicht.

Was dann?

Selbst suchen. Dann konnten sie sich ewig lange verpassen. Immer auf unterschiedlichen Straßen unterwegs. Dann würden sie ihn auf jeden Fall kriegen.

Am Ende der Straße, die Moses einsehen konnte, bog ein Müllwagen ein. Ein paar Leute liefen dem Truck hinterher und warfen hinein, was am Straßenrand herumlag. Und hinter dem Müllwagen sah Moses ganz kurz den alten Krankenwagen. Der bog nicht ab, sondern fuhr geradeaus. Irgendwo in die Richtung, aus der er eben gekommen war. Sandi suchte ihn.

Gut genug verstecken, dass mich andere nicht sehen. Und so, dass ich die Straße, die Sandi entlangfahren muss, sehen kann. Sehen, aber nicht gesehen werden. Moses blickte sich um. Wo der Müllwagen eben abgebogen war, rannte ein Paar um dieselbe Ecke und verbarg sich dann hinter einem Mäuerchen. Seltsam, dachte er. Aber nicht seine Sorge.

109

«Ich weiß es nicht», sagte Nozipho, als Thembinkosi neben ihr stehen blieb. «Erst mal schauen, wie es da vorn aussieht. Komm. Der Müllwagen schützt uns. Komm, weiter!»

Sie rannten zwei Grundstücke weiter und blieben stehen. «Sieh mal! Der Ausgang wird kontrolliert», sagte Nozipho. «Cops. Security.»

«Was machen wir?»

«Vorsichtig sein. Komm, weiter.» Sie zog Thembinkosi auf ein Grundstück und kniete sich hinter eine Hecke. Er hockte sich neben sie.

110

Hier an der Straße, die ganz außen und parallel zur Mauer verlief, musste Sandi vorbeikommen, wenn sie systematisch vorging.

Moses sah sich noch einmal um. Weniger als einhundert Meter vom Ausgang entfernt. Er hockte sich hinter eine Mülltonne, die am Straßenrand stand. Prüfte sie. Leer. Der Müllwagen war hier schon gewesen.

Aber wo war der Verrückte? Vor ihm hatte er am meisten Angst. Er wirkte entschlossen, skrupellos und ... verrückt eben.

Jetzt konnte er den Müllwagen wieder sehen. Ganz nah

am Ausgang. Die Arbeiter rannten hin und her, um den Kram reinzuwerfen. Er hatte noch nie Müllleute gesehen, die rannten. Vielleicht wollten sie heim.

Wo Sandi nur war?

111

«Da vorn. Das ist das letzte Haus. Und das sind die letzten Abfalltüten, die sie in den Wagen werfen.» Nozipho zog das Kleid hoch über die Hüfte. Dann fasste sie Thembinkosis Hand. Fasste sie fest.

Die drei Arbeiter warfen Tüten und Kartons in den Wagen. Zwei verschwanden kurz und kamen mit einer Tonne wieder, die sie gemeinsam ausleerten. Sie schauten sich an und zeigten sich die gereckten Daumen. Fertig. Sie gingen gemeinsam links am Truck vorbei. Der erste öffnete die Tür und zog sich zur Kabine hoch.

«Jetzt», sagte Nozipho. Der Schwung, den sie in ihrer Bewegung hatte, überraschte Thembinkosi. Er stolperte vorwärts, Nozipho hinterher. Ließ fallen, was er in der anderen Hand hatte. Zog dann fest an ihrer Hand. In die andere Richtung. Beide blieben fast stehen. Aber Nozipho war entschlossen.

«Der Koffer!»

«Egal. Komm!»

«Aber ...»

«KOMM!» Nozipho gab ihm einen sehr giftigen Blick. Thembinkosi folgte ihr. Sie liefen gemeinsam auf den Truck zu. So schnell sie konnten.

112

Ein Motor. Moses blickte um die Mülltonne herum. Polizei. Er wurde für einen langen Moment unsichtbar. Der Wagen passierte.

Kein White Trash bisher. Noch ein Motor.

Das. War. Der. Krankenwagen.

Sandi.

Langsam kam er um die Ecke gebogen. Moses blickte sich um. Im Fenster hinter ihm, direkt neben der Tür des Hauses, zu dem die Mülltonne gehörte, sah er die Nanny. Die Nanny, die ihm eben geholfen hatte. Sie lächelte ihn an. Zeigte ihm den Daumen. Moses lächelte zurück.

Sandi war noch zwanzig Meter entfernt. Warte noch eine Sekunde, sagte er sich. Warte noch eine.

Noch zehn Meter. Noch acht.

Er sprang hinter der Mülltonne hervor und stellte sich mit ausgebreiteten Armen auf die Straße. Der Wagen bremste und blieb kurz vor ihm stehen. Moses öffnete die Beifahrertür und setzte sich. Atmete durch. Wollte Sandi umarmen.

«Du musst nach hinten!», sagte sie. Moses stutzte.

«Los», sagte sie.

Er zwängte sich zwischen den Sitzen nach hinten und war überrascht, einen komplett entkernten Raum vorzufinden. Da war nichts. Metallboden. Nackt.

«Leg dich hin! Ich fahr jetzt los.»

113

Nozipho rannte, Thembinkosi an ihrer Hand.

Der dritte Arbeiter stieg gerade in die Kabine. Die Tür wurde zugezogen.

Kurz bevor sie den Truck erreichten, ließ Nozipho seine Hand los. Sie machte einige lange Schritte und sprang dann auf den Truck. Direkt in die Müllklappe. Thembinkosi war zu atemlos, um zu staunen. Spürte Liebe. Spürte Ekel. Sprang auch. Musste sich kaum anstrengen. Wollte neben Nozipho sein.

Er fiel auf sie drauf. Spürte, wie ihr die Luft ausging.

«Begrab uns unter dem Zeug», sagte sie

Der Wagen fuhr an. Was für ein Gestank.

«Das ist Müll!»

«Begrab uns!»

114

Der Wagen fuhr an und hielt kurz darauf wieder.

«Kontrolle am Ausgang. Sie öffnen überall den Kofferraum.» Moses sagte nichts.

«Da sind noch drei Autos vor dem Tor, glaube ich. Dann ein Müllauto. Fuuh ... Das riecht. Und dann wir. – Jetzt geht das Tor auf. Ein Auto fährt raus. – Uh! Da sind Leute hinten in dem Müllwagen.»

«Wie ... Leute?»

«Leute. Menschen.»

«Im Müll?»
«Im Müll.»
«Und?»
«Die verstecken sich.»
«Im Müll?»
«Im Müll. Noch ein Auto weniger.»
«Was für Leute?»
«Woher soll ich das wissen? Sie liegen unter dem Müll.»
«Weiße?»
«Die Hand, die ich eben gesehen hab, war eine schwarze Hand. Noch ein Auto weniger. Jetzt gehen sie zum Müllwagen. Sie gucken in die Kabine. Einer klettert hoch. Wieder runter. Und sie gucken hinten rein. Jetzt wird er durchgewunken», sagte sie. «Und jetzt kommen sie zu uns.»

Eine Sekunde passierte gar nichts. Dann hörte er Sandis Stimme. «Danke, Officer!» Moses hörte, wie der Wagen anfuhr. Zweiter Gang. Wieder langsamer werden. Abbiegen. Fahren. Weg hier. Was für ein Albtraum.

115

Meli stand auf der Terrasse hinter Mrs. Viljoens Haus. Sie hatte ein Glas Saft auf den Plastiktisch gestellt und war wieder verschwunden. «Bleib hier, bis das vorüber ist», hatte sie gesagt. «Man ist seines Lebens nicht mehr sicher.»

Durch das Fenster sah er, wie sie telefonierte, und zog seine Sonnenbrille auf die Nase. Sie musste nicht sehen, dass er sie beobachtete. Sonst war wieder eine Predigt fällig. Sie legte das Telefon weg und kam heraus. «Du kannst jetzt gehen. Auch wenn es erst drei ist. Aber nur direkt bis zum Ausgang. Keinen Umweg machen. Verstanden? Das ist eine Anweisung der Polizei.»

«Klar.»

Sie gab ihm den Hundert-Rand-Schein, den er sich heute verdient hatte, und drehte sich um. Bevor sie die Terrassentür schloss, schaute sie noch einmal zurück: «Wir leben in schlimmen Zeiten. Nächste Woche wird wieder richtig gearbeitet.»

Meli hatte gelernt, sich nicht aufzuregen über die Frau. Sie war seine älteste Kundin. Fast fünf Jahre kam er jetzt hierhin. Einmal die Woche. Sie zahlte unter Mindestlohn, aber sie zahlte. An Weihnachten gab es ein Geschenk für die Kinder, Süßes meist, obwohl sie sonst nie nach ihnen fragte. Er glaubte nicht, dass sie wusste, dass er drei zu Hause hatte. Oder wie alt sie waren.

Er ging am Haus vorbei zurück zur Straße und dann nach links. Dort irgendwo war geschehen, was geschehen war. Klar ging er direkt zum Ausgang. Wohin denn sonst? Aber neugierig war er doch. An der ersten Kreuzung, die er erreichte, konnte er nach links zum Ausgang gehen. Er entschied sich anders. Er wollte wissen, was passiert war. Leute kamen aus den Häusern heraus. Eine ältere Frau mit bunter Schürze und Haartuch winkte ihm kurz zu.

Eine weitere Kreuzung. Die uniformierte Polizistin, die dort stand, zeigte zum Ausgang. Meli blieb stehen. Ein paar Meter weiter ging eine Straße in die andere Richtung. Gelbes Polizeiband. Ein Sichtschutz wurde gerade aufgebaut. Trotzdem konnte Meli die Leichen sehen. Blut auch.

Sterben mussten sie alle irgendwann, dachte er. Was nur aus dem Jungen mit dem Afro geworden war? Meli wunderte sich, dass er gerade jetzt an ihn denken musste. Aus allen Richtungen kamen Leute. Die Polizistin winkte energischer.

Er hatte genug gesehen. Die anderen blieben stehen, er ging weiter.

Die hundert Rand reichten für zwei Tage, dann hatte er den Job bei den Aldersons. Halber Tag, darauf hatten sie bestanden. Riesengarten, aber nur ein halber Tag Arbeit. Besser ein halber Tag als gar keiner, hatte er sich gesagt. Er arbeitete in den vier Stunden so viel wie an einem ganzen Tag. Und sie hatten drei Autos.

Morgen würde er zu Hause bleiben. Liziwe würde in die Stadt fahren. Zu den ... er konnte den Namen nicht aussprechen. Und wusste nicht, woher sie kamen. Aber sie waren nicht von hier. Er musste sich morgen um die Kinder kümmern.

Zwei Polizeiautos standen vor einem Haus. Zwei Leichenwagen auch. Uniformierte Polizisten und solche ohne Uniform. Aber man konnte ihnen trotzdem ansehen, dass sie Cops waren.

«Weiter. Weiter», sagte einer mit Uniform. Meli blieb stehen.

«Weiter.» Uniform wedelte mit den Armen.

Das Haus sah aus wie nach dem Krieg. Zerschossene Fenster. Einschusslöcher überall.

«Weiter!» Lauter jetzt.

Zwei Männer kamen mit einer Bahre aus dem Haus. Weißes Tuch drüber, rote Flecken im Weiß. Meli setzte seinen Weg fort. Treffen konnte es alle. Auch die Reichen.

Von der anderen Seite kam mehr Polizei. Er zählte sie durch. Acht Autos. Wenn man sie von Duncan Village aus anrief und Hilfe brauchte, kam nicht einmal ein einziges. Er drehte den Hunderter in seiner Hand. Lebensmittel, und wenn noch ein bisschen übrig bleib, auch ein Bier für ihn. Normalerweise blieb nichts übrig.

Liziwe schaute ihn immer so komisch an, wenn sie roch, dass er ein Bier getrunken hatte. Einmal hatten sie sich gestritten. Richtig gestritten deswegen. Das war gar nicht so lange her.

«Wir haben nicht einmal genug Geld für die Kinder, und du trinkst immer Alkohol», hatte sie gesagt. Immer, hatte sie gesagt. Immer trinkst du Alkohol. Dass das Unsinn gewesen war, hatte sie auch gewusst. Am nächsten Tag war sie sehr nett zu ihm gewesen.

Noch eine Kolonne. Krankenwagen dieses Mal. Meli ging zur Seite und blieb an eine Mauer gelehnt stehen. Sie rasten alle in die Richtung, aus der er gekommen war. Nur der letzte von ihnen blieb mitten auf der Kreuzung stehen. Die Fahrerin sah für eine Sekunde so aus, als wollte sie etwas fragen. Dann bog sie ab.

Ein paar Schritte weiter, und Meli konnte den Ausgang schon sehen. Und die Autos, die rauswollten. Ein Müllwagen versperrte ihm den Blick auf einen Teil des Tors. Security sah er, und viel Polizei.

Viel Polizei war okay. Wenn sie allein oder zu zweit unterwegs waren, dann wurde es gefährlich. Ein Polizist hatte ihm einmal den Tageslohn abgenommen, weil er es gekonnt hatte. Anhalten, durchsuchen, Geld, Geld weg. Einfach so. Meli hatte sich nicht einmal beschwert. Wozu auch?

Hier würde ihm niemand Geld stehlen. Zu viele Augen. Zu viel Kontrolle.

Er konnte den Müllwagen schon riechen. Die kriegen mehr Geld als ich, dachte er. Aber er war ganz zufrieden mit seinen Gärten. Lieber die Gärten der Weißen machen als ihren Müll wegschaffen. Was für ein Gestank. Er hatte aber auch eine empfindliche Nase. Und die Allergie seit ein paar Jahren. Kann man nichts machen, hatte der Doktor gesagt.

Da war Bewegung im Heck des Müllwagens. Meli rieb sich die Augen. Der Wagen setzte gerade ein Stück vor. So ein Unsinn, dachte er, Müll ist Müll, und schaute noch einmal genau hin. Beinah hätte er den Koffer übersehen.

Braunes Leder, Kunstleder eigentlich. Ein bisschen goldener Schimmer am Griff. Und groß. Viel zu groß für einen Aktenkoffer.

Meli nahm ihn in die Hand. Schwer war er. Schüttelte ihn.

Wer stellte hier einen Koffer ab? Zwischen Mauer und dem Fynbos-Strauch. Er schaute sich um. Niemand beachtete ihn. Noch einmal schütteln. Da war irgendetwas aus Metall drin. Klackernd. Aber auch etwas Weiches, das das Harte abfederte. Sicherlich wertlos, der Inhalt, dachte er. Sonst wäre er nicht hier abgestellt worden. Meli ging weiter.

Der alte Krankenwagen war mittlerweile hinter dem Müllwagen angekommen. Ob irgendwer in den Koffer sehen wollte?

Eine Polizistin blickte in den Kofferraum eines Hyundai.

Sie schloss ihn wieder und reckte den Daumen. Das Tor ging auf. Der Hyundai verließ «The Pines». Das Tor war weit offen. Zwei Polizisten sahen ihn an. Meli grüßte. Sie grüßten zurück. Er schaute die beiden Security-Leute an, die neben den Polizisten standen, nickte höflich. Sie nickten synchron zurück. Er war draußen.

Ein Stück noch bis zur Straße, die nach Abbotsford führte. Ein Taxi raste gerade vorüber. Voll besetzt. Er wollte gar nicht erst auf ein Taxi hoffen. Einfach damit rechnen, bis Abbotsford gehen zu müssen. Einen Rand Taxigeld damit schon mal sparen. Und schon gar nicht darauf hoffen, von irgendwem bis Abbotsford mitgenommen zu werden. Der Koffer war sicher ein paar hundert Rand wert. Tausend vielleicht. Er musste nur jemanden finden, der so viel bezahlte. Aber zuerst würde er ihn öffnen müssen. Das Schloss durfte er dabei nicht kaputt machen. Kriegte er schon hin.

Der Müllwagen überholte ihn und blieb an der Ecke stehen. Meli blickte noch einmal in die offene Ladefläche. Da war doch Bewegung. Er hatte das eben nicht geträumt. Zwei Leute machten sich frei von dem Müll und setzten sich auf die Kante. Im selben Augenblick, als der Wagen anfuhr, sprangen sie raus. Beide fielen hin. Sie standen schnell wieder auf und liefen bis zur Straße. Die Frau in Weiß zog sich das Kleid über die Schenkel. Der Mann in Grau klopfte den Anzug ab. Wo hatte er die beiden nur schon gesehen? Die Frau hielt den Mann davon ab, über die Straße zu rennen. Autos passierten, dann liefen sie gegenüber in die Siedlung hinein. Er war sich sicher, die beiden schon einmal gesehen zu haben.

Der alte Krankenwagen passierte ihn und blieb neben

ihm an der Ecke stehen. Die junge Frau am Steuer sah nicht aus wie eine, die normalerweise Krankenwagen fährt. Kahler Kopf. Enges T-Shirt. Ohrring. Er konnte es nicht erklären, aber die Frau gehörte da irgendwie nicht hinein.

Der Krankenwagen bog Richtung Abbotsford ab. Vielleicht hätte er versuchen sollen, mitgenommen zu werden. Zwei Kilometer musste er noch laufen. Meli schüttelte noch einmal den Koffer. Er war schon neugierig, was er darin finden würde.

Ein Feuerwehrwagen kam ihm mit Blaulicht entgegen. Meli sah ihm hinterher und bemerkte, dass es irgendwo in der Gated Community brannte.

Er ging weiter. Was für ein komischer Tag.

Dank an Anette Hoffmann, Dirk Lange und Yvonne Weissberg, die das Stück gelesen und kommentiert haben. An Dorothee Plass und Martin Baltes, die den Prozess des Schreibens begleitet haben. An Gary Minkley für ganz vieles. An Saskia Haardt für mein Bild von mir. Dank schließlich an Paul Weller für «Brand New Day» und an Antje Schuhmann für Paul Weller.

Das für dieses Buch verwendete Papier ist FSC®-zertifiziert.